小学生作文

起跑线

作文初学入门

创 新版 **1**年级

小学生
阶梯作文
丛书

俞翠霞　主编

南京大学出版社

图书在版编目(CIP)数据

小学生作文起跑线.作文初学入门.一年级 / 俞翠霞主编.—南京:南京大学出版社,2014.5

(小学生阶梯作文丛书)

ISBN 978-7-305-12993-3

Ⅰ.①小⋯ Ⅱ.①俞⋯ Ⅲ.①作文课-小学-教学参考资料 Ⅳ.①G624.243

中国版本图书馆 CIP 数据核字(2014)第 059054 号

出版发行 南京大学出版社
社　　址 南京市汉口路 22 号　　邮　　编 210093
网　　址 http://www.NjupCo.com
出版人 左　健
丛 书 名 小学生阶梯作文丛书
书　　名 小学生作文起跑线——作文初学入门·一年级
主　　编 俞翠霞
责任编辑 纪玉嫒　　　编辑热线　025-83621412
照　　排 南京南琳图文制作有限公司
印　　刷 常州市武进第三印刷有限公司
开　　本 787×960　1/16　印张 11　字数 148 千
版　　次 2014 年 5 月第 1 版　　2014 年 5 月第 1 次印刷
ISBN 978-7-305-12993-3
定　　价 18.00 元

发行热线 025-83594756
电子邮箱 Press@NjupCo.com
　　　　　Sales@NjupCo.com(市场部)

俞老师的话：
学好语文基础
是作文的起点

小朋友，这是我们送你的一根拐棍。

你一定会笑了：我才这么小，要拐棍干吗？老爷爷、老奶奶才需要拐棍呢！

你先别笑，告诉你，这根拐棍不是木头做的，而是一套作文指导书——《小学生作文起跑线》。木头做的拐棍可以帮助行动不便的人行走，《小学生作文起跑线》这根"拐棍"可以帮助刚刚踏进作文世界的小朋友，在作文世界里自由自在地漫游。

当你们背上小书包走进校园时，作文世界的大门便向你们敞开了。许多同学在作文世界里快乐地生活，成了那里的小主人。他们拿起笔就有写不完的话，读他们的作文，那简直是一种享受：他们写的人，就生活在我们身边，特别生动；他们写的景，就像花儿一样美丽，特别逼真；他们写的事，就像电影、电视剧一样吸引人……

可是，有的小朋友一拿起笔来，仿佛这笔有千斤重，怎么也写不动，非常痛苦，害怕写作，找不到自信。

这是怎么回事？难道自己比别人笨？

其实，并不是这样的。做任何事都有窍门的，《小学生作文起跑线》就是为你提供窍门的拐棍。

考虑到同学们年龄的特点,我们共准备了六根这样的拐棍。前三根拐棍,帮助同学们由不会写作到逐步学会写作;后三根拐棍,帮助同学们把作文写得更好。希望这些拐棍对大家能有所帮助。我们希望同学们都喜欢使用这些拐棍,但我们更热切地希望你们早日舍弃这些拐棍。当我们送你们这根拐棍的时候,我们还真心地祝愿你们:会用后快快丢掉它!大步地向前走!在作文世界里享受作文带给你们的快乐!

小朋友的爸爸妈妈:我们在编写这套书时遵循了作文教学的原则——基础知识与作文训练同步进行。一方面加强作文基本功的训练,循序渐进,每日积累,为作文打下坚实的基础(作文是需要积淀的);另一方面引导孩子发现生活中有趣的人或事,开展活动,让孩子动手参与活动(如果有爸爸妈妈的参与,效果一定会更好),使孩子有话可说,有情可抒,有感而发,经常进行练笔训练,让他们感受到作文并不难。《小学生作文起跑线》1—3年级从一句话开始训练,到学写片段,到写生活中的人和事。我们通过设计场景,让孩子的眼睛感受到大自然绚丽的色彩,让孩子的耳朵听到自然界各种美妙的声音,用手触摸世界,用心感知世界,体验不同的人物在不同环境下的不同表现,循序渐进地学习把句子、事物描写具体。1—3年级均有三大组成部分:作文基础篇、作文训练篇、作文赏析篇。在作文基础篇中,我们根据孩子的不同年龄阶段设计了与之相匹配的作文基础练习,为写话作好文字及标点上的准备。在作文训练篇中,我们根据不同的年龄阶段设计了相应的写话训练内容,从训练要求出发,精心引导孩子观察,从扶到放,旨在帮助孩子通过一个个具体的训练,逐步学习、感悟作文的方法。在作文赏析篇中,我们用心选编了同年级孩子的优秀习作,这些文章篇幅不算长,没有俗套,充满了童真童趣,我们根据习作的内容设计1—2题练习,旨在引导孩子剖析习作之精髓,感悟小作者写作的高明之处,为自己写的文章做一些积淀和借鉴。4—6年级是比较有效的作文训练书,强调了作文基础知识和作文实践的联系,由基础训练到佳作欣赏,由范文导读、点评到试题指导,最后由同学自己实践,层层递进,水到渠成,降低了作文的坡度,使同学易于动笔,并在作文的技巧上加以点拨,便于同学们提高写作技巧。同时,我们总结了作者三十余年的作文教学心得,把行之有效的学习作文方法奉献给广大的小朋友和家长。我们希望通过这种有目的、有针对性的训练,使孩子对生活的观察力、感悟力能随着训练的深入而有所提高。当然,除了老师和指导书外,作为孩子的第一任老师(也是终生的老师)的爸爸妈妈也能随着《小学生作文起跑线》和孩子共同讨论、参与并分享本书给孩子带来的快乐。只有投入才有回报,愿您的孩子成为作文世界中的佼佼者。

另外,我们给练习提供了比较详尽的答案,便于学生自学或家长、老师辅导。当然,由于语文学习的特殊性,应尊重每个人在学习过程中的独特体验,所以有些答案并非唯一,只要言之有据、言之有理就行,答案不可僵化。一、二年级由于年龄小,识字少,有些字不会写,可以用拼音代替。

读万卷书,行万里路,此乃优秀作品之根源所在。生活皆是好文章,只要你热爱生活,用心感受生活,生活也将会毫不吝啬地赠予你精彩。我们相信:经过今天的努力,明天精彩的你一定能写出生活的精彩!

对于入选文章的作者,在此致以衷心的感谢。对于本套丛书中的不足之处,欢迎提出宝贵意见,以便不断完善。

目　录

作文基础篇

一、把句子写完整 …………………………………（ 2 ）

（一）学写基本句子 …………………………………（ 2 ）

（二）正确使用标点符号 ……………………………（12）

（三）学会使用他、她、它 …………………………（16）

（四）判断句子是否完整 ……………………………（23）

二、把句子写通顺写连贯 ……………………………（27）

（一）词语搭配要准确 ………………………………（27）

（二）整合词语、句子 ………………………………（34）

（三）理清句子的前后关系，把句子写连贯 ………（39）

三、把句子写具体 ……………………………………（49）

（一）给句子"涂"上色彩 …………………………（49）

（二）让句子发出声音 ………………………………（53）

（三）使句子动起来 …………………………………（56）

作文训练篇

一、根据问题说话 ·························（62）

（一）自我介绍 ·························（62）

（二）下课了 ·························（64）

（三）我爱爸爸和妈妈 ·················（65）

（四）正确地说话 ·····················（66）

二、看图说、写一两句话 ·················（70）

（一）看图说话并填空 ·················（70）

（二）给句子涂上美丽的颜色，练习说话并填空 ······（74）

（三）动脑动手，想象着说、写一两句话 ·········（79）

（四）看图说话、写话 ·················（81）

三、记下生活中的趣事——画图日记 ·········（88）

作文赏析篇

1. 盛鸡蛋 ·························（106）

2. 裤子湿了 ·······················（107）

3. 我的衣服穿反了 ·················（108）

4. 老师不理我了 ···················（110）

5. 赶白鹅 ·························（111）

6. 敲　门 ·························（113）

7. 借　花 ·························（114）

8. 改　名 ……………………………………… （116）

9. 给冬瓜题字 ……………………………… （117）

10. 踢"球" ………………………………… （118）

11. 洗　澡 …………………………………… （120）

12. 礼　物 …………………………………… （121）

13. 妈妈带回的礼物 ………………………… （123）

14. 抢　糖 …………………………………… （125）

15. 捉尾巴 …………………………………… （127）

16. 吃口香糖 ………………………………… （129）

17. 火龙果 …………………………………… （130）

18. 偷吃鸡 …………………………………… （132）

19. 逛超市 …………………………………… （134）

20. 种大蒜头 ………………………………… （136）

21. 给蒜宝宝喝水 …………………………… （137）

22. 鱼汤更鲜美了 …………………………… （139）

23. 冰跳舞啦 ………………………………… （141）

24. 传　球 …………………………………… （142）

25. 水下乐园 ………………………………… （144）

26. 找动物 …………………………………… （146）

27. 负重接力 ………………………………… （148）

28. 一块饼干 ………………………………………………… (150)

29. 称"小猪" …………………………………………………… (152)

30. 逮蝴蝶 ……………………………………………………… (153)

参考答案 ……………………………………………………… (156)

作文基础篇

一、把句子写完整

（一）学写基本句子

初学写句子，就要养成把句子写完整的好习惯，这样，别人才能看得明白。

怎样才能把句子写完整呢？

一个完整的句子应该是"谁干什么"，"谁怎么样"，"谁是什么人"，"谁有什么"，或者"什么东西干什么"，"什么东西怎么样"，"什么东西是什么"，"什么地方有什么"，"什么东西像什么"等，再加上合适的标点符号（如逗号、句号、问号、感叹号、冒号、引号等），这样便是一个完整的句子了。

读一读 dú yi dú

dú yi dú xià mian jǐ zhǒng jī běn jù xíng
读一读下面几种基本句型。

shéi shén me dōng xi　　gàn shén me de jù xíng
1. "谁(什么东西)+干什么"的句型。

wáng hóng tiào shéng
（1）王 红 跳 绳。

nǎi nai zài jiāo huā
（2）奶奶在浇花。

xiǎo māo zhuā lǎo shǔ
（3）小 猫 抓 老 鼠。

xiǎo jī zhuō chóng zi
（4）小 鸡 捉 虫 子。

shéi shén me dōng xi　　shì shén me de jù xíng
2. "谁(什么东西)+是什么"的句型。

wǒ men shì hǎo péng you
（1）我 们 是 好 朋 友。

3

bà ba shì lǐ fà shī
（2）爸爸是理发师。

xiāng jiāo shì wǒ ài chī de shuǐ guǒ
（3）香蕉是我爱吃的水果。

tài yáng shì yuán yuán de
（4）太阳是圆圆的。

shéi shén me dōng xi   zěn me yàng de jù xíng
3. "谁（什么东西）+怎么样"的句型。

jǐng chá shū shu zhēn xīn kǔ
（1）警察叔叔真辛苦。

nǎi nai shuāi dǎo le
（2）奶奶摔倒了。

jú huā kāi le
（3）菊花开了。

yuè liang wān wān de
（4）月亮弯弯的。

shéi shén me dì fang   yǒu shén me de jù xíng
4."谁(什么地方)+有什么"的句型。

mèi mei yǒu yí ge piào liang de bù wá wa
（1）妹妹有一个漂亮的布娃娃。

xiǎo tù zi yǒu yí duì cháng cháng de ěr
（2）小兔子有一对长长的耳
duo
朵。

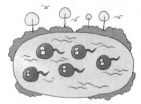

chí táng li yǒu yì qún xiǎo kē dǒu
（3）池塘里有一群小蝌蚪。

yè wǎn de tiān kōng yǒu xīng xing hé yuè
（4）夜晚的天空有星星和月
liang
亮。

连一连 lián yi lián

照样子把词语连成句子。 zhào yàng zi bǎ cí yǔ lián chéng jù zi

1. 妈妈 mā ma   写作业。 xiě zuò yè

   爷爷 yé ye   绣花。 xiù huā

   我 wǒ   喝茶。 hē chá

   解放军 jiě fàng jūn   站岗。 zhàn gǎng

2. 出租车司机 chū zū chē sī jī   看病。 kàn bìng

   老师 lǎo shī   打针。 dǎ zhēn

   医生 yī shēng   上课。 shàng kè

   护士 hù shi   开车。 kāi chē

3. 小白兔 xiǎo bái tù   吃草。 chī cǎo

   小鸡 xiǎo jī   吃鱼。 chī yú

   小猫 xiǎo māo   吃桃子。 chī táo zi

   小猴 xiǎo hóu   吃虫子。 chī chóng zi

4. zhú gān 竹竿　　　　shēn 深。

líng shēng 铃 声　　　　liàng 亮。

diàn dēng 电 灯　　　　xiǎng 响。

yán sè 颜 色　　　　cháng 长。

5. shā mò li 沙 漠 里　　　yǒu xiǎo niǎo 有 小 鸟。

shù zhī shang 树 枝 上　　　yǒu bì hǔ 有壁虎。

xiǎo hé li 小 河 里　　　yǒu luò tuo 有 骆 驼。

qiáng bì shang 墙 壁 上　　　yǒu yú er 有鱼儿。

6. fēi jī 飞 机　　　　kāi de kuài 开 得 快。

lǎo shǔ 老 鼠　　　　fēi de kuài 飞 得 快。

huǒ chē 火 车　　　　táo de kuài 逃 得 快。

xiǎo yú 小 鱼　　　　yóu de kuài 游 得 快。

liàn yi liàn 练一练　　bǎ xià mian gè zhǒng jù xíng bǔ chōng wán zhěng 把下面各种句型补充完整。

yòng shéi shén me dōng xi 　　　gàn shén me de jù xíng bǎ jù zi
1. 用"谁(什么东西)＋干什么"的句型，把句子
bǔ chōng wán zhěng
补充完整。

lǎo shī
（1）老师 ....。

zhī máo yī
（2）............................织毛衣。

kěn gǔ tou
（3）............................啃骨头。

xiǎo niǎo
（4）小鸟 ....。

zài shuǐ li yóu lái
（5）............................在水里游来
yóu qù
游去。

xiǎo hóu zi
（6）小猴子 ....。

yòng shéi shén me dōng xi shì shén me de jù xíng bǎ jù zi

2. 用"谁(什么东西)＋是什么"的句型，把句子

bǔ chōng wán zhěng

补充完整。

wǒ men shì

（1）我们是＿＿＿＿＿＿＿＿＿＿＿。

bà ba shì

（2）爸爸是＿＿＿＿＿＿＿＿＿＿＿。

wén zi shì

（3）蚊子是＿＿＿＿＿＿＿＿＿＿＿。

hé　　　　dōu shì

（4）＿＿＿＿＿和＿＿＿＿＿都是

shuǐ guǒ

水果。

shì yī shēng

（5）＿＿＿＿＿是医生。

9

jī mù shì
（6）积木是 _____ 。

yòng shéi shén me dōng xi　　zěn me yàng de jù xíng bǎ jù zi
3. 用"谁（什么东西）＋怎么样"的句型，把句子

bǔ chōng wán zhěng
补充完整。

xiǎo xué shēng
（1）小学生 _____ 。

gē ge　　　　　　dì di
（2）哥哥 _____ ，弟弟 _____ 。

fēng
（3）风 _____ 。

fēng zheng
（4）风筝 _____ 。

(5) ＿＿＿＿＿ gāo xìng de yòu bèng yòu tiào 高兴得又蹦又跳。

(6) qì chē 汽车＿＿＿＿＿。

yòng shéi shén me dì fang　　yǒu shén me de jù xíng　bǎ jù zi
4. 用"谁（什么地方）＋有什么"的句型，把句子

bǔ chōng wán zhěng
补 充 完 整。

(1) mèi mei yǒu 妹妹有＿＿＿＿＿。

(2) xiǎo sōng shǔ yǒu 小松鼠有＿＿＿＿＿。

(3) dà shù shang yǒu 大树上有＿＿＿＿＿。

shān pō shang yǒu
(4) 山坡上有 _____ 。

shū bāo li yǒu
(5) 书包里有 _____ 。

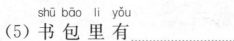

yǒu gè zhǒng měi lì
(6) _____ 有 各 种 美 丽

de huā er
的 花 儿。

èr   zhèng què shǐ yòng biāo diǎn fú hào
（二）正 确 使 用 标 点 符 号

biāo diǎn fú hào shì jù zi de zhòng yào zǔ chéng bù fen   cháng yòng
标 点 符 号 是 句 子 的 重 要 组 成 部 分。常 用

de biāo diǎn fú hào yǒu dòu hào   jù hào   wèn hào   gǎn tàn hào
的 标 点 符 号 有 逗 号（,）、句 号（。）、问 号（?）、感 叹 号

mào hào   shuāng yǐn hào   děng   yí jù huà méi yǒu shuō wán jiù
（!）、冒 号（:）、双 引 号（" "）等。一 句 话 没 有 说 完 就

yào yòng dòu hào yí jù huà shuō wán zhěng le jiù yào yòng jù hào dāng yí
要 用 逗 号，一 句 话 说 完 整 了 就 要 用 句 号，当 一

jù huà jié shù shí yǔ qì hěn zhòng hěn qiáng liè jiù yào yòng gǎn tàn hào
句 话 结 束 时，语 气 很 重、很 强 烈 就 要 用 感 叹 号，

dāng yǒu yí wèn shí zài jù zi de jié wěi jiù yào yòng wèn hào dāng yǒu rén
当 有 疑 问 时，在 句 子 的 结 尾 就 要 用 问 号，当 有 人

yào shuō huà shí jiù yào yòng mào hào hé shuāng yǐn hào le
要说话时,就要用冒号和双引号了。

wǒ men yí kuài er dú du xià mian de xiǎo ér gē xiāng xìn nǐ jīng guò
我们一块儿读读下面的小儿歌,相信你经过

liàn xí yí dìng néng zhèng què shǐ yòng biāo diǎn fú hào de
练习,一定能正确使用标点符号的。

yí jù huà méi shuō wán zhōng jiān jiā ge xiǎo kē dǒu
一句话,没说完,中间加个小蝌蚪(,)

yí jù huà shuō wán le hòu mian huà shang xiǎo yuán quān
一句话,说完了,后面画上小圆圈(。)

yǒu wèn tí bié dān xīn lā la ěr duo chéng wèn hào
有问题,别担心,拉拉耳朵成问号(?)

jīng hé xǐ jí hé nù gǎn jǐn diū xia xiǎo zhà dàn
惊和喜,急和怒,赶紧丢下小炸弹(!)

yào shuō huà bié zháo jí xiōng dì liǎng ge lái zhàn gǎng
要说话,别着急,兄弟两个来站岗(:)

liǎng ge zì bǎ mén kāi liǎng ge zì bǎ mén guān
两个6字把门开(“),两个9字把门关(”)

yī nián jí xiǎo péng yǒu zhǐ yào huì yòng dòu hào jù hào wèn
一年级小朋友只要会用逗号(,)、句号(。)、问

hào hé gǎn tàn hào jiù kě yǐ le
号(?)和感叹号(!)就可以了。

dú yi dú
读一读

dú xià mian de jù zi xiǎng yi xiǎng tā men de yì si yǒu
读下面的句子,想一想它们的意思有

shén me bù tóng
什么不同。

例

pàng pang ài chī hú luó bo
① 胖胖爱吃胡萝卜。

pàng pang ài chī hú luó bo ma
② 胖胖爱吃胡萝卜吗?

dú le jù wǒ men zhī dào pàng pang xǐ huan chī hú luó bo ér dú
读了句①,我们知道胖胖喜欢吃胡萝卜。而读

le jù　　wǒ men bìng bù zhī dào pàng pang dào dǐ ài bu ài chī hú luó bo
了句②我们并不知道胖胖到底爱不爱吃胡萝卜。

jīn tiān huì hěn rè de
① 今天会很热的。

1.

jīn tiān huì hěn rè ma
② 今天会很热吗?

xiǎo hóu pá shang le shù
① 小猴爬上了树。

2.

xiǎo hóu pá shang shù le ma
② 小猴爬上树了吗?

māo mā ma shēng le yì wō xiǎo māo
① 猫妈妈生了一窝小猫。

3.

māo mā ma shēng le yì wō xiǎo māo ma
② 猫妈妈生了一窝小猫吗?

mā ma zhǒng zi fā yá le
① 妈妈,种子发芽了。

4.

mā ma zhǒng zi fā yá le
② 妈妈,种子发芽了!

míng ming kuài xià lóu
① 明明,快下楼。

5.

míng ming kuài xià lóu
② 明明,快,下楼!

nǐ bǎ yī fu nòng zāng le
① 你把衣服弄脏了。

6.

nǐ yòu bǎ yī fu nòng zāng le
② 你又把衣服弄脏了!

练一练 lián yi liàn

zài xià miàn de □ lǐ jiā shàng
在 下 面 的 □ 里 加 上 "。? !"。

tài yáng gōng gong shàng bān le
(1) 太 阳 公 公 上 班 了 □

jīn tiān huì xià yǔ ma
(2) 今 天 会 下 雨 吗 □

xiǎo māo qīng shǒu qīng jiǎo de pǎo le guo qu
(3) 小 猫 轻 手 轻 脚 地 跑 了 过 去 □

mā ma duō me zháo jí ya
(4) 妈 妈 多 么 着 急 呀 □

ā yí wān zhe yāo bá cǎo
(5) 阿 姨 弯 着 腰 拔 草 □

xiǎo gǒu huì sòng bào zhǐ ma
(6) 小 狗 会 送 报 纸 吗 □

wǒ hé xiǎo huǒ bàn yí kuài er dǎ qiú
(7) 我 和 小 伙 伴 一 块 儿 打 球 □

xiǎo bái tù zài dì li bá luó bo
(8) 小 白 兔 在 地 里 拔 萝 卜 □

xiǎo bái tù zài nǎ er bá luó bo
(9) 小 白 兔 在 哪 儿 拔 萝 卜 □

mā ma qù bu qù
(10) 妈 妈 去 不 去 □

shí wǔ de yuè liang zhēn de yuán ma
(11) 十 五 的 月 亮 真 的 圆 吗 □

shù shang guà mǎn le hóng tōng tōng de dà píng guǒ
(12) 树 上 挂 满 了 红 通 通 的 大 苹 果 □

nǐ huì yóu yǒng ma
(13) 你 会 游 泳 吗 □

wǒ zěn yàng cái néng zhǎo dào hǎo péng you ne
(14) 我 怎 样 才 能 找 到 好 朋 友 呢 □

15

阶梯作文

huáng yīng zài zhī tóu chàng gē
(15) 黄 莺 在 枝 头 唱 歌 □

cǎo yuán duō dà a
(16) 草 原 多 大 啊 □

shuǐ guǒ diàn li de xī guā zhēn duō ya
(17) 水 果 店 里 的 西 瓜 真 多 呀 □

zhè shì bu shì táo shù
(18) 这 是 不 是 桃 树 □

chūn yǔ kuài lè de xià zhe
(19) 春 雨 快 乐 地 下 着 □

qīng tíng chī shén me
(20) 蜻 蜓 吃 什 么 □

sān xué huì shǐ yòng tā tā tā
（三）学 会 使 用 他、她、它

tā tā tā shì rén chēng dài cí yòng lái zhǐ dài jù zi zhōng de rén
"他、她、它"是 人 称 代 词。用 来 指 代 句 子 中 的 人
huò shì wù tā shì yòng lái zhǐ dān gè nán de tā shì yòng lái zhǐ dān
或 事 物。"他"是 用 来 指 单 个 男 的,"她"是 用 来 指 单
gè nǚ de tā shì yòng lái zhǐ rén yǐ wài de yí qiè dān gè shì wù rú
个 女 的,"它"是 用 来 指 人 以 外 的 一 切 单 个 事 物,如
dòng wù zhí wù děng rú guǒ suǒ zhǐ dài de rén huò shì wù duō yú yí ge
动 物、植 物 等。如 果 所 指 代 的 人 或 事 物 多 于 一 个,
zé yào yòng tā men tā men huò tā men tè bié xū yào tí xǐng de
则 要 用 "他 们"、"她 们" 或 "它 们"。特 别 需 要 提 醒 的
shì rú guǒ suǒ zhǐ de rén quán shì nǚ de jiù yòng tā men quán shì nán
是:如 果 所 指 的 人 全 是 女 的,就 用 "她 们";全 是 男
de jiù yòng tā men yǒu nán yǒu nǚ yí lù yòng tā men qiān wàn bié
的,就 用 "他 们";有 男 有 女,一 律 用 "他 们"。千 万 别
nòng cuò le yo
弄 错 了 哟!

dú yi dú
读一读

dú yi dú xià mian de jù zi tǐ huì yǔ de bù
读一读下面的句子,体会"tā"与"tā men"的不

tóng yòng fǎ
同 用 法。

kàn tú dú yi dú xiǎng yi xiǎng wèi shén me yòng bù tóng de
1. 看图读一读,想一想,为什么用不同的"tā"

tā tā tā
(他、她、它)?

(1)

tā zhēn tiáo pí
他 真 调 皮。

(2)

tā shì wǒ de hǎo péng you
她 是 我 的 好 朋 友。

(3)

tā jiē de yòu yuán yòu dà
它 结 得 又 圆 又 大。

(4)

tā shì mèi mei xīn ài de wán jù
它 是 妹 妹 心 爱 的 玩 具。

(5)

tā zài kāi xīn de chī cǎo
它在开心地吃草。

(6)

zǎo shang tā cóng xī bian luò xia
早上，它从西边落下。

kàn tú dú yi dú xiǎng yi xiǎng wèi shén me yòng bù tóng de
**2. 看图读一读，想一想，为什么用不同的"ta
tā men tā men tā men
men"（他们、她们、它们）？**

(1)

tā men zhèng chī lì de bān zhe zhuō
他们正吃力地搬着桌
zi
子。

(2)

tā men tiào de duō měi a
她们跳得多美啊！

(3)

tā men kāi xīn de qù shàng xué
他们开心地去上学。

(4)

tā men dōu zài kàn zhe zhè tiáo xiǎo gǒu
他们都在看着这条小狗。

(5)

tā men shuì de duō xiāng a
它们睡得多香啊!

(6)

tā men zhù zài wū yán xià
它们住在屋檐下。

liàn yi liàn　　kàn qīng yāo qiú zhèng què yùn yòng　　　　yǔ
练一练　看清要求,正确运用"ta"与"ta men"。

kàn kan tú xiǎng yi xiǎng xuǎn zé zhèng què de　　tā tā tā
1. 看看图,想一想,选择正确的 ta(他、她、它),

zài xià mian huà shang héng xiàn
在下面画上横线。

(1)

tā　 tā　　tā zhèng zài tóu lán
(它　他　她)正在投篮。

(2)

zǎo shang　 tā　 tā　 tā cóng dōng fāng
早上,(她　它　他)从东方

shēng qǐ
升起。

(3)

tā tā tā bēi zhe shū bāo qù
（她 他 它)背着书包去
shàng xué
上 学。

(4)

tā tā tā pǎo de mǎn tóu dà hàn
（她 它 他)跑得满头大汗。

(5)

tā tā tā zhèng zài dǎ diàn huà
（他 她 它)正在打电话。

(6)

tā tā tā chī lì de bá luó bo
（它 他 她)吃力地拔萝卜。

kàn kan tú xiǎng yi xiǎng bǎ bú zhèng què de tā men tā men
2.看看图,想一想,把不正确的(他们 她们
tā men huà qu
它们)画去。

(1)

qiáo tā men tā men tā men
瞧,（他们 她们 它们)
pǎo de duō kuài ya
跑得多快呀!

(2)

tā men　tā men　tā men zhuān
（她们　他们　它们）专
xīn de tīng kè
心 地 听 课。

(3)

tā men　tā men　tā men zài gěi
（它们　她们　他们）在 给
huā er jiāo shuǐ
花 儿 浇 水。

(4)

tā men　tā men　tā men rèn zhēn
（他们　它们　她们）认 真
de dǎ sǎo wèi shēng
地 打 扫 卫 生。

(5)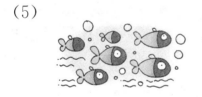

tā men　tā men　tā men kāi xīn
（它们　他们　她们）开 心
de yóu lái yóu qù
地 游 来 游 去。

(6)

tā men　tā men　tā men zài sài
（她们　它们　他们）在 赛
pǎo
跑。

xiǎng yi xiǎng xià mian jù zi de yì si tián shang qià dàng de
3. 想 一 想 下 面 句 子 的 意 思，填 上 恰 当 的
tā tā tā zài dú yi dú
"他、她、它"，再 读 一 读。

shì yí ge piào liang de xiǎo gū niang
(1) ……………… 是 一 个 漂 亮 的 小 姑 娘。

(2) dì di xiào le 弟弟笑了，_____ xiào de zhēn tián a 笑得真甜啊！

(3) lǎ ba huā kāi le 喇叭花开了，_____ de yàng zi zhēn xiàng yí ge xiǎo 的样子真像一个小 lǎ ba 喇叭。

(4) nǎi nai līn zhe sǎ shuǐ hú lái dào yuàn zi li 奶奶拎着洒水壶来到院子里，_____ zài gěi 在给 huā jiāo shuǐ 花浇水。

(5) nà zhī xiǎo zhū bái bái pàng pàng de 那只小猪白白胖胖的，_____ duō kě ài a 多可爱啊！

(6) yé ye dài shang mào zi 爷爷戴上帽子，_____ yào chū mén le 要出门了。

4. dú xià mian de jù zi tián shang qià dàng de 读下面的句子，填上恰当的(他们、她们或 tā men zài dú yi dú 它们)，再读一读。

(1) xiǎo hé li yǒu yì qún yā zi 小河里有一群鸭子，_____ zài kāi xīn de zhuō yú 在开心地捉鱼 ne 呢！

(2) jiě jie hé mèi mei zhàn zài yì qǐ 姐姐和妹妹站在一起，_____ de gè zi yí yàng 的个子一样 gāo 高。

(3) yì qún xiǎo nán hái lái dào zú qiú chǎng tī qiú 一群小男孩来到足球场踢球，_____ tī de 踢得 zhēn dài jìn 真带劲。

(4) xià kè le xiǎo péng yǒu men lái dào cāo chǎng shang wán yóu xì 下课了，小朋友们来到操场上玩游戏， hǎo kāi xīn a _____ 好开心啊！

（5）
shān pō shang yǒu yì qún xiǎo yáng
山坡上有一群小羊，_____
zài màn yōu yōu de
在慢悠悠地
chī cǎo
吃草。

（6）
děng gōng jiāo chē de rén zhēn duō
等公交车的人真多，_____
dōu shēn cháng le
都伸长了
bó zi děng chē zi
脖子等车子。

sì pàn duàn jù zi shì fǒu wán zhěng
（四）判断句子是否完整

qián mian jiǎng guo yí ge wán zhěng de jù zi zhì shǎo yīng gāi yǒu shéi
前面讲过，一个完整的句子，至少应该有"谁
gàn shén me shéi zěn me yàng shéi shì shén me rén shén me dì fang
干什么"，"谁怎么样"，"谁是什么人"，"什么地方
yǒu shén me shén me dōng xi zěn me yàng shén me dōng xi xiàng shén
有什么"，"什么东西怎么样"，"什么东西像什
me děng zài jiā shàng qià dàng de biāo diǎn fú hào rú guǒ quē shǎo qí zhōng
么"等，再加上恰当的标点符号，如果缺少其中
de mǒu yí bù fen jù zi biàn bù wán zhěng le
的某一部分，句子便不完整了。

bǐ yi bǐ
比一比
bǐ yi bǐ xià mian de jù zi yǒu shén me bù tóng
比一比下面的句子有什么不同。

1.
mā ma zhuān xīn de xiù huā
①妈妈专心地绣花。

zhuān xīn de xiù huā
②专心地绣花。

2.
dì di chuān le yí jiàn xīn yī fu
①弟弟穿了一件新衣服。

chuān le yí jiàn xīn yī fu
②穿了一件新衣服。

23

3. {
　① wǒ shì yì míng xiǎo xué shēng
　① 我是一名小学生。

　② wǒ shì
　② 我是。
}

4. {
　① wān wān de yuè er xiàng xiǎo chuán
　① 弯弯的月儿像小船。

　② wān wān de yuè er
　② 弯弯的月儿。
}

　　dú yi dú shàng mian de jù zi nǐ huì hěn róng yì fā xiàn měi zǔ de
　　读一读上面的句子,你会很容易发现,每组的
dì yī jù huà shuō de shì wán zhěng de ràng rén néng tīng kàn míng bai de
第一句话说得是完整的,让人能听(看)明白的。
nǐ kàn mā ma gàn shén me mā ma zhuān xīn de xiù huā dì di zěn me
你看:妈妈干什么?妈妈专心地绣花。弟弟怎么
yàng dì di chuān le yí jiàn xīn yī fu wǒ shì shén me rén wǒ shì yì
样?弟弟穿了一件新衣服。我是什么人?我是一
míng xiǎo xué shēng wān wān de yuè er xiàng shén me wān wān de yuè er
名小学生。弯弯的月儿像什么?弯弯的月儿
xiàng xiǎo chuán zhè xiē jù zi dōu shì yóu shéi gàn shén me huò shén me
像小船。这些句子都是由"谁＋干什么"或"什么
dōng xi zěn me yàng shéi shì shén me rén shén me dōng xi xiàng
东西＋怎么样","谁"是"什么人","什么东西＋像
shén me liǎng bù fen zǔ chéng bìng jiā shàng zhèng què de biāo diǎn fú hào
什么"两部分组成,并加上正确的标点符号。
ér dì èr jù dōu quē shǎo qí zhōng de yí bù fen rú chuān le yí jiàn xīn
而第二句都缺少其中的一部分。如"穿了一件新
yī fu shéi chuān le yí jiàn xīn yī fu méi yǒu jiāo dài wǒ shì wǒ
衣服。"谁穿了一件新衣服?没有交代。"我是。"我
shì shén me yě méi yǒu shuō míng yīn cǐ zhè yàng de jù zi suī rán yě
是什么?也没有说明。因此,这样的句子,虽然也
yǒu biāo diǎn fú hào dàn bú shì wán zhěng de jù zi
有标点符号,但不是完整的句子。

liàn yi liàn　pàn duàn xià mian de jù zi shì fǒu wán zhěng
判 断 下 面 的 句 子 是 否 完 整。

zài wán zhěng de jù zi hòu mian dǎ　　bù wán zhěng de jù zi
1. 在 完 整 的 句 子 后 面 打"√",不 完 整 的 句 子

hòu mian dǎ
后 面 打"╳"。

nǐ shì shéi
（1）你 是 谁？　　　　　　　　　　（　　）

gài qi le yí zuò xīn lóu fáng
（2）盖 起 了 一 座 新 楼 房。　　　　（　　）

shù shang guà mǎn le shì zi
（3）树 上 挂 满 了 柿 子。　　　　　（　　）

hǎi shēn zài hǎi dǐ màn màn de
（4）海 参 在 海 底 慢 慢 地。　　　　（　　）

huā yuán zhēn měi a
（5）花 园 真 美 啊!　　　　　　　　（　　）

xiǎo gāng xià de
（6）小 刚 吓 得。　　　　　　　　　（　　）

xiǎo yú zài shuǐ li tǔ pào pao
（7）小 鱼 在 水 里 吐 泡 泡。　　　　（　　）

fēi de kuài
（8）飞 得 快。　　　　　　　　　　（　　）

sōng shǔ de wěi ba
（9）松 鼠 的 尾 巴。　　　　　　　　（　　）

dì di zhēn kě ài
（10）弟 弟 真 可 爱。　　　　　　　　（　　）

bǎ jù zi bǔ chōng wán zhěng
2. 把 句 子 补 充 完 整。

dà shēng de kū le
（1）＿＿＿＿＿大 声 地 哭 了。

wǒ bǎ　　　　xǐ gān jìng le
（2）我 把 ＿＿＿ 洗 干 净 了。

25

（3）我们一同 <u>　　　　　　　　　　　</u>。

wǒ men yì tóng

（4）春天到了，<u>　　　　　　</u>绿了。

chūn tiān dào le　　　　　　lǜ le

（5）<u>　　　　　</u>刮了起来。

guā le qǐ lai

（6）蜗牛 <u>　　　　　　　　　　</u>。

wō niú

（7）<u>　　　　　</u>真好吃。

zhēn hǎo chī

（8）池塘里，<u>　　　　　</u>游来游去。

chí táng li　　　　　　yóu lái yóu qù

（9）我真想 <u>　　　　　　　　　</u>。

wǒ zhēn xiǎng

（10）<u>　　　　　</u>一块儿去放风筝。

yí kuài er qù fàng fēng zheng

yī cí yǔ dā pèi yào zhǔn què
（一）词语搭配要准确

yí ge jù zi shì yóu ruò gān ge cí yǔ zǔ chéng de wǒ men yào xiǎng
一个句子是由若干个词语组成的，我们要想
bǎ huà shuō tōng shùn shuō qīng chu jiù yào nòng míng bai měi ge cí yǔ de yì
把话说通顺、说清楚，就要弄明白每个词语的意
si bìng jìn xíng hé lǐ zhǔn què de dā pèi zhè yàng bié rén dú qi lai cái
思，并进行合理、准确的搭配，这样别人读起来才
shùn kǒu
顺口。

dú yi dú xià mian de liàng cí wèi shén me bù yí yàng
读一读 下面的量词为什么不一样？

zhǔn què yùn yòng liàng cí
1. 准确运用量词。

yí lì pú tao
一粒葡萄

yí chuàn pú tao
一串葡萄

27

yì gēn xiāng jiāo
一 根 香 蕉

yí guà xiāng jiāo
一 挂 香 蕉

yì wān xīn yuè
一 弯 新 月

yì lún míng yuè
一 轮 明 月

yì duǒ huā
一 朵 花

yí shù huā
一 束 花

nǐ kàn shù liàng de duō shǎo xíng zhuàng de biàn huà yòng de liàng cí
你看,数量的多少,形 状 的 变化,用 的 量词
shì bu shì bù yí yàng
是 不 是 不 一 样?

liàn yi liàn
练一练

kàn tú tián shang hé shì de liàng cí
看图填上合适的量词。

yī　　　　　hé yè
一（　　）荷 叶

yī　　　　xī guǎn
一（　　）吸 管

yī　　　　hóng qí
一（　　）红 旗

yī　　　　dà shān
一（　　）大 山

yī　　　　chuán
一（　　）船

yī　　　　zhuō zi
一（　　）桌 子

yī　　　　hóng rì
一（　　）红 日

yī　　　ǒu
一（　　）藕

阶 梯 作 文

zhào yàng zi yòng zhí xiàn jiāng zuǒ yòu liǎng biān de cí yǔ dā pèi qi
照 样 子,用 直 线 将 左 右 两 边 的 词 语 搭 配 起

lai zài dú yi dú
来,再 读 一 读。

(1)
yì tóu
一 头 ———— dà xiàng
大 象

yì zhī
一 只　　dà mǎ
大 马

yì tiáo
一 条　　lǎo hǔ
老 虎

yì pǐ
一 匹　　cháng lóng
长 龙

(2)
yì duǒ
一 朵　　cǎi hóng
彩 虹

yí dào
一 道　　bái yún
白 云

yì kē
一 颗　　xīng xing
星 星

yí ge
一 个　　tài yáng
太 阳

(3)
yì shēng
一 声　　dà xuě
大 雪

yí zhèn
一 阵　　chūn léi
春 雷

yì cháng
一 场　　běi fēng
北 风

yí dào
一 道　　shǎn diàn
闪 电

(4)
yì kē
一 棵　　xī guā
西 瓜

yí lì
一 粒　　huáng guā
黄 瓜

yí ge
一 个　　qīng cài
青 菜

yì gēn
一 根　　pú tao
葡 萄

(5)
yì shuāng
一 双　　méi mao
眉 毛

yì zhāng
一 张　　yǎn jing
眼 睛

liǎng zhī
两 只　　zuǐ
嘴

liǎng dào
两 道　　ěr duo
耳 朵

(6)
yí piàn
一 片　　niǎo wō
鸟 窝

yì gēn
一 根　　shù yè
树 叶

yí ge
一 个　　shù zhī
树 枝

yì zhī
一 只　　xiǎo niǎo
小 鸟

(7)
yì shǒu
一 首
　
zhào piàn
照 片

yì zhī
一 支
　
shī
诗

yí jù
一 句
　
gē
歌

yì zhāng
一 张
　
huà
话

(8)
yì zhāng
一 张
　
chǐ zi
尺 子

yì bǎ
一 把
　
wén zhāng
文 章

yì tái
一 台
　
zhuō zi
桌 子

yì piān
一 篇
　
diàn nǎo
电 脑

dú yi dú
读一读

dú yi dú xià mian de cí yǔ xiǎng yi xiǎng zuò tóng yí lèi de
读一读下面的词语,想一想做同一类的
shì qing wèi shén me yòng bù tóng de dòng cí ne
事情,为什么用不同的动词呢?

zhǔn què yùn yòng dòng cí
2. 准确运用动词。

tī qiú
踢球

dǎ yǔ máo qiú
打羽毛球

tán gāng qín
弹钢琴

lā xiǎo tí qín
拉小提琴

xǐ tóu

洗头

shū tóu

梳头

qí chē

骑车

kāi chē

开车

nǐ kàn shàng mian sì zǔ cí yǔ fēn bié yǔ qiú qín tóu chē yǒu

你看，上面四组词语，分别与"球"、"琴"、"头"、"车"有

guān kě shì bù tóng de qiú qín tóu chē de wán fǎ yòng fǎ zuò fǎ

关，可是不同的"球"、"琴"、"头"、"车"的玩法、用法、做法

shì bù yí yàng de suǒ yǐ jiù yào yòng bù tóng de dòng cí lái biǎo xiàn

是不一样的，所以就要用不同的动词来表现。

liàn yi liàn kàn tú tián shang hé shì de dòng cí

练一练 看图填上合适的动词。

qiū qiān

_____ **秋千**

huá tī

_____ **滑梯**

sā bāo
_____ 沙 包

shéng
_____ 绳

mì
_____ 蜜

lǎo shǔ
_____ 老 鼠

wá wa
_____ 娃 娃

hēi bǎn
_____ 黑 板

连一连 lián yi lián

zhào yàng zi yòng zhí xiàn jiāng zuǒ yòu liǎng biān de cí yǔ
照 样 子,用 直 线 将 左 右 两 边 的 词 语
dā pèi qi lai zài dú yi dú
搭 配 起 来,再 读 一 读。

(1)　zhāi　　dàn
　　摘　　　蛋

　　tǔ　　nán guā
　　吐　　　南 瓜

　　shēng　wén zi
　　生　　　蚊 子

　　pāi　　pào pao
　　拍　　　泡 泡

(2)　bēi　　shǒu tào
　　背　　　手 套

　　chuān　xié dài
　　穿　　　鞋 带

　　dài　　yī fu
　　戴　　　衣 服

　　jì　　shū bāo
　　系　　　书 包

（3）
倒　　　颜色
dào　　yán sè

洗　　　水
xǐ　　　shuǐ

开　　　杯子
kāi　　　bēi zi

涂　　　灯
tú　　　dēng

（4）
抹　　　皮球
mā　　　pí qiú

拔　　　桌子
bá　　　zhuō zi

换　　　萝卜
huàn　　luó bo

拍　　　衣服
pāi　　　yī fu

（5）
发　　　花
fā　　　huā

长　　　叶
zhǎng　　yè

开　　　果
kāi　　　guǒ

结　　　芽
jiē　　　yá

（6）
喝　　　汤
hē　　　tāng

吃　　　菜
chī　　　cài

夹　　　碗筷
jiā　　　wǎn kuài

收　　　饭
shōu　　fàn

（二）整合词语、句子
èr　zhěng hé cí yǔ jù zi

有些句子读了常常会让人感觉有点别扭，
yǒu xiē jù zi dú le cháng cháng huì ràng rén gǎn jué yǒu diǎn biè niu

其实我们掌握了句子的基本构造，只要局部加以
qí shí wǒ men zhǎng wò le jù zi de jī běn gòu zào zhǐ yào jú bù jiā yǐ

调整，就能把原本想要表达的意思变得清晰、
tiáo zhěng jiù néng bǎ yuán běn xiǎng yào biǎo dá de yì si biàn de qīng xī

明白了。
míng bai le

dú yi dú
读一读

bǎ cí yǔ pái chéng tōng shùn de jù zi bìng jiā shàng biāo
把 词语 排 成 通 顺 的 句子，并 加 上 标
diǎn fú hào
点 符 号。

1.

xué jù   xiǎo hóng   zǒu guo lai   bào zhe
学具   小 红   走 过 来   抱 着

xiǎng yi xiǎng   shéi zài gàn shén me
想 一 想：① 谁 在 干 什 么？

tā shì zěn me zǒu guo lai de
② 她 是 怎 么 走 过 来 的？

xiǎo hóng bào zhe xué jù zǒu guo lai
小 红 抱 着 学 具 走 过 来。

2.

chī cǎo   zài   shān pō shang   niú hé yáng
吃 草   在   山 坡 上   牛 和 羊

xiǎng yi xiǎng   shéi zài gàn shén me
想 一 想：① 谁 在 干 什 么？

tā men zài shén me dì fang chī cǎo
② 它 们 在 什 么 地 方 吃 草？

niú hé yáng zài shān pō shang chī cǎo
牛 和 羊 在 山 坡 上 吃 草。

3.

<pre>
piào liang de   yǒu   yí ge   wǒ   qiān bǐ hé
漂亮的   有   一个   我   铅笔盒
</pre>

xiǎng yi xiǎng   shéi yǒu shén me dōng xi
想 一 想：① 谁 有 什 么 东 西？

tā yǒu shén me yàng de qiān bǐ hé
② 他 有 什 么 样 的 铅 笔 盒？

wǒ yǒu yí ge piào liang de qiān bǐ hé
我 有 一 个 漂 亮 的 铅 笔 盒。

4.

<pre>
dú shū   lǎo shī   wǒ men   tīng   gěi
读书   老师   我们   听   给
</pre>

xiǎng yi xiǎng   shéi zài gàn shén me
想 一 想：① 谁 在 干 什 么？

kàn kan tú xiǎng yi xiǎng shéi zài dú shéi zài tīng
② 看 看 图，想 一 想，谁 在 读，谁 在 听。

wǒ men dú shū gěi lǎo shī tīng
我 们 读 书 给 老 师 听。

zuò zhè yàng de liàn xí yí dìng yào xiān zhǎo chu shéi huò shén me dōng
做 这 样 的 练 习，一 定 要 先 找 出 谁 或 什 么 东

xi gàn shén me huò zěn me yàng zài kàn kan shèng xia lai de cí yǔ yīng gāi
西，干 什 么 或 怎 么 样，再 看 看 剩 下 来 的 词 语 应 该

fàng zài nǎ li bǐ jiào hé shì cái néng bǎ xiǎng biǎo dá de shì qing shuō qīng
放 在 哪 里 比 较 合 适，才 能 把 想 表 达 的 事 情 说 清

chu　zuì hòu zài dú yi dú jù zi shì fǒu tōng shùn
楚。最后再读一读句子是否通顺。

lián yi lián　àn yāo qiú zhěng hé jù zi
练一练　按要求整合句子。

kàn tú bǎ cí yǔ pái chéng tōng shùn de jù zi zài jiā shàng biāo
1. 看图把词语排成通顺的句子,再加上标

diǎn fú hào
点符号。

(1)

yé ye　qí　xiǎo xīn de　chē
爷爷 骑 小心地 车

_____

(2)

xīn ài de　mèi mei　xiǎo wá wa
心爱的 妹妹 小娃娃
bào zhe
抱着

_____

(3)

tīng　lǎo shī　jiǎng gù shi　wǒ men
听 老师 讲故事 我们

_____

(4)

huà　zài　wǒ men　yì fú　kàn
画 在 我们 一幅 看

_____

(5)

liàn tā shū fǎ zhuān xīn de
练 他 书法 专心地

_____

(6)

cháng cháng de dì di zhú gān yì
长 长 的 弟弟 竹竿 一
gēn zhǎo lai
根 找 来

_____

bǎ cí yǔ pái chéng tōng shùn de jù zi bìng jiā shàng biāo diǎn fú
2. 把词语排成 通顺的句子,并加上 标点符
hào
号。

hé wǒ wáng míng shǒu lā shǒu
(1) 和 我 王 明 手拉手

_____

qiū tiān měi lì de ài wǒ
(2) 秋天 美丽的 爱 我

_____

qù huā er kàn ma nǐ
(3) 去 花儿 看 吗 你

_____

xìn xiě yì fēng xiǎo bái tù le
(4) 信 写 一封 小白兔 了

_____

yú gè zhǒng gè yàng de yǒu dà hǎi li
(5) 鱼 各种各样的 有 大海里

_____

　　　　chī　chóng zi　xiǎo jī　cǎo dì shang zài
（6）吃　虫 子 小 鸡 草 地 上　在

----

　　sān　　lǐ qīng jù zi de qián hòu guān jì　bǎ jù zi xiě lián guàn
（三）理 清 句 子 的 前 后 关 系,把 句 子 写 连 贯

　　　wǒ men zài zuò shì shí　yí dìng huì xiǎng yi xiǎng xiān zuò shén me hòu
　　我 们 在 做 事 时,一 定 会 想 一 想　先 做 什 么 后

zuò shén me　zhè yàng cái néng bǎ shì qing zuò hǎo　wǒ men shuō huà xiě huà
做 什 么,这 样 才 能 把 事 情 做 好。我 们 说 话、写 话

yě shì zhè yàng　yí duàn huà zhōng xiān xiě nǎ yí jù hòu xiě nǎ yí jù dōu
也 是 这 样,一 段 话 中,先 写 哪 一 句 后 写 哪 一 句,都

yào yǒu yí dìng de shùn xù yào zhù yì cí yǔ cí jù zi yǔ jù zi zhī jiān
要 有 一 定 的 顺 序,要 注 意 词 与 词、句 子 与 句 子 之 间

de lián xì　bù rán xiǎng qǐ shén me jiù xiě shén me kàn dào shén me jiù xiě
的 联 系。不 然 想 起 什 么 就 写 什 么,看 到 什 么 就 写

shén me bié rén kàn qi lai duō luàn a
什 么,别 人 看 起 来 多 乱 啊!

　　　dú yi dú　　zhěng lǐ qián hòu jù zi de shùn xù
　　读 一 读　整 理 前 后 句 子 的 顺 序。

　　　lǐ qīng liǎng ge jù zi de guān jì
1. 理 清 两 个 句 子 的 关 系。
　　　mā ma mǎi le xǔ duō cài huí lai
（1）妈 妈 买 了 许 多 菜 回 来。
　　　mā ma līn zhe lán zi qù cài chǎng
　　　妈 妈 拎 着 篮 子 去 菜 场。
　　　mā ma līn zhe lán zi qù cài chǎng mǎi le xǔ duō cài huí lai
　　　妈 妈 拎 着 篮 子 去 菜 场,买 了 许 多 菜 回 来。
　　　xiǎo jī kàn jiàn le yì tiáo xiǎo chóng zi
（2）小 鸡 看 见 了 一 条 小 虫 子。
　　　xiǎo jī gǎn jǐn pǎo guo qu zhuó
　　　小 鸡 赶 紧 跑 过 去 啄。

39
阶 梯 作 文

xiǎo jī kàn jiàn le yì tiáo xiǎo chóng zi gǎn jǐn pǎo guo qu zhuó
小鸡看见了一条小虫子,赶紧跑过去啄。

hé huā kāi le
（3）荷花开了。

xià tiān dào le
夏天到了。

xià tiān dào le hé huā kāi le
夏天到了,荷花开了。

méi huā yǒu hóng de yǒu huáng de yǒu bái de měi jí le
（4）梅花有红的,有黄的,有白的,美极了。

méi huā kāi le
梅花开了。

méi huā kāi le yǒu hóng de yǒu huáng de yǒu bái de měi jí le
梅花开了,有红的,有黄的,有白的,美极了。

xiǎng yi xiǎng měi dào tí zhōng de liǎng jù huà dōu yǒu xiān hòu shùn
想一想,每道题中的两句话都有先后顺

xù lì rú dì tí zhōng mā ma shì xiān mǎi le xǔ duō cài huí lai ne hái
序。例如第1题中,妈妈是先买了许多菜回来呢,还

shì xiān līn zhe lán zi qù cài chǎng ne nǎ jù zài qián hé lǐ zhù yì dōu
是先拎着篮子去菜场呢?哪句在前合理?注意都

shì xiě yí ge rén huò yí jiàn shì de liǎng ge jù zi bìng chéng yí jù hòu
是写一个人或一件事的两个句子并成一句后,

biāo diǎn fú hào shì yǒu biàn huà de
标点符号是有变化的。

lián yi lián
练一练

bǎ xià mian de liǎng jù huà hé bìng chéng yí jù tōng shùn de huà
把下面的两句话合并成一句通顺的话。

xiǎo bái tù kàn jiàn le yí ge dà mó gu
（1）小白兔看见了一个大蘑菇。

xiǎo bái tù gǎn jǐn wān xia yāo cǎi mó gu
小白兔赶紧弯下腰采蘑菇。

（2）
shù yè sì chù luàn fēi
树叶四处乱飞。

yí zhèn fēng chuī lai
一阵风吹来。

（3）
xiǎo mǎ yǐ kàn jiàn le yí piàn shù yè
小蚂蚁看见了一片树叶。

xiǎo mǎ yǐ mǎ shàng pá le shang qu
小蚂蚁马上爬了上去。

（4）
xiǎo gǒu wāng wāng de jiào le qi lai
小狗"汪 汪"地叫了起来。

xiǎo gǒu tīng jiàn le shēng yīn
小狗听见了声音。

（5）
xiǎo shù zhǎng de gèng kuài le
小树长得更快了。

xiǎo shù xī shōu le yíng yǎng
小树吸收了营养。

阶梯作文

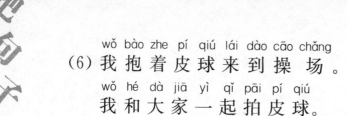

wǒ bào zhe pí qiú lái dào cāo chǎng
(6) 我抱着皮球来到操场。

wǒ hé dà jiā yì qǐ pāi pí qiú
我和大家一起拍皮球。

pái yi pái
排一排

gěi xià mian de tú àn shùn xù tián shang xù hào bìng bǎ gù
给下面的图按顺序填上序号,并把故

shi lián qi lai shuō yi shuō
事连起来说一说。

kàn tú pái xù liàn xí shuō huà
2. 看图排序,练习说话。

(3)

(2)

(1)

shuō yi shuō
说一说:

xiǎo míng yào zuò chē dào nǎi nai jiā tā lái dào zhàn tái děng chē bù
小明要坐车到奶奶家,他来到站台等车。不

yí huì er qì chē lái le dà jiā pái zhe duì shàng chē xiǎo míng tāo chu
一会儿,汽车来了。大家排着队上车。小明掏出

gōng jiāo kǎ shuā le kǎ zhǎo le ge zuò wèi zuò le xia lai rén dōu shàng
公交IC卡刷了卡,找了个座位坐了下来。人都上

lai le sī jī guān shang mén qì chē fēi kuài de xiàng qián pǎo le qi lai
来了,司机关上门,汽车飞快地向前跑了起来。

měi fú tú huà de shì shén me yì si jǐ fú tú lián qi lai huà de
每幅图画的是什么意思?几幅图连起来画的

shì yí jiàn shén me shì nǎ yì fú tú zài qián nǎ yì fú tú gēn zài hòu
是一件什么事?哪一幅图在前,哪一幅图跟在后

mian shì yǒu yí dìng shùn xù de　　kāi dòng nǎo jīn　xiǎng hǎo le jiù zài kuò
面,是 有 一 定 顺 序 的。开 动 脑 筋, 想 好 了 就 在 括

hào li xiě shang xù hào　zài àn nǐ pái de shùn xù bǎ tú de yì si lián
号 里 写 上 序 号。再 按 你 排 的 顺 序 把 图 的 意 思 连

qǐ lai shuō yi shuō bǎ gù shi jiǎng gěi bà ba mā ma yé ye nǎi nai tóng
起 来 说 一 说,把 故 事 讲 给 爸 爸 妈 妈、爷 爷 奶 奶、同

xué tīng xiāng xìn nǐ yí dìng huì shuō de hěn qīng chu de　　jì zhù fán shì tú
学 听, 相 信 你 一 定 会 说 得 很 清 楚 的。记 住:凡 是 图

zhōng de zhǔ yào rén wù yí dìng yào gěi tā　tā qǔ ge hǎo tīng de míng zi
中 的 主 要 人 物 一 定 要 给 他(她)取 个 好 听 的 名 字。

liàn yi liàn
练 一 练

kàn tú àn shì qing fā zhǎn de shùn xù gěi tú pái shang xù
看 图 按 事 情 发 展 的 顺 序 给 图 排 上 序
hào xiě zài　　　li bìng bǎ zhè jǐ fú tú lián qǐ lai shuō
号,写 在(　　)里,并 把 这 几 幅 图 连 起 来 说
jǐ jù huà
几 句 话。

43

(1)　　　　　　　　　　　　　　　　　　　　　　　　

(　　)　　　　　(　　)　　　　　(　　)

(2)

(　　)　　　　　(　　)　　　　　(　　)

(3)

(　　)　　　　　(　　)　　　　　(　　)

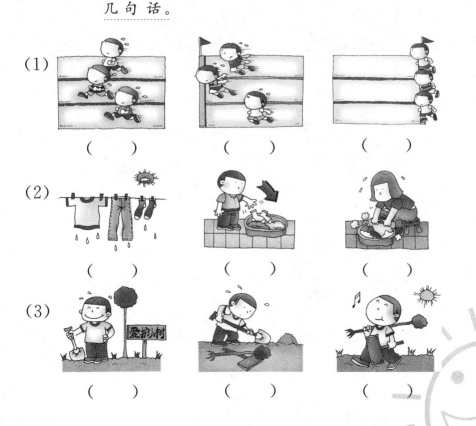

(　　)　　　　　　(　　)

pái yi pái
排一排

bǎ cuò luàn de jù zi àn shùn xù pái chéng yí duàn tōng shùn
把错乱的句子按顺序排成一段通顺
de huà xiě shang xù hào zài lián qi lai dú yi dú
的话,写上序号,再连起来读一读。

gěi jù zi pái xù
3. 给句子排序。

gōng jī wō wō tí
(　　)公鸡喔喔啼,

yì tóng shàng xué qù
(　　)一同上学去。

tiān liàng le
(　　)天亮了,

gē ge dì di kuài qǐ lai
(　　)哥哥弟弟快起来,

shàng mian de yí duàn huà gòng yǒu háng shǒu xiān wǒ men yí jù yí
上面的一段话共有4行。首先我们一句一
jù de dú nòng qīng chu měi jù huà de yì si zhǎo chu zhè duàn huà xiě de
句地读,弄清楚每句话的意思,找出这段话写的
shì shéi de yí jiàn shén me shì cóng ér zhī dào zhè duàn huà xiě de shì gē ge
是谁的一件什么事,从而知道这段话写的是哥哥
dì di yì tóng shàng xué de shì zài zǐ xì dú yi dú fā xiàn zhè duàn huà
弟弟一同上学的事。再仔细读一读,发现这段话
jiǎng de shì yīn wèi tiān liàng le suǒ yǐ gōng jī jiào le gē ge dì di jiù
讲的是因为天亮了,所以公鸡叫了。哥哥弟弟就
yīng gāi qǐ lai shàng xué qù le yīn cǐ wǒ men kě yǐ àn zhè zhǒng yīn guǒ
应该起来上学去了。因此,我们可以按这种因果
guān xì lái gěi zhè duàn huà pái xù jiē zhe zài chá
关系来给这段话排序:(2)、(4)、(1)、(3)。接着再查

kàn yí xià xù hào shì bu shì　　　　zuì hòu àn xù hào lián qi lai dú yi dú
看一下序号是不是1—4,最后按序号连起来读一读,

kàn kan shì fǒu tōng shùn lián guàn
看看是否通顺、连贯。

zěn yàng cái néng bǎ pái liè cuò luàn de jù zi zhěng lǐ chéng yí duàn
怎样才能把排列错乱的句子整理成一段

tōng shùn de huà ne　　jì zhù yī dú　èr xiǎng　sān pái　sì chá
通顺的话呢? 记住:一读,二想,三排,四查。

dú
1. 读:

yí jù yí jù de dú liǎo jiě měi jù huà de yì si zhī dào zhè jǐ jù
一句一句地读,了解每句话的意思,知道这几句

huà zhǔ yào jiǎng de shì yí jiàn shén me shì
话主要讲的是一件什么事。

xiǎng
2. 想:

xiǎng yi xiǎng zhè jǐ jù huà kě yǐ àn shén me yàng de shùn xù lái pái
想一想这几句话可以按什么样的顺序来排

liè　shì àn shí jiān de shùn xù hái shi àn dì diǎn de biàn huà　shì àn shì
列。是按时间的顺序还是按地点的变化? 是按事

qing de jīng guò hái shi yǒu míng xiǎn de lián jiē cí tí shì
情的经过还是有明显的连接词提示?

pái
3. 排:

xiǎng hǎo hòu yào àn yí dìng de shùn xù gěi měi jù huà pái duì biāo xù
想好后,要按一定的顺序给每句话排队标序

hào
号。

chá
4. 查:

xiān chá yi chá biāo de xù hào yǒu méi yǒu chóng hào lòu hào xiàn xiàng
先查一查标的序号有没有重号、漏号现象,

zài rèn rèn zhēn zhēn de àn zhào pái hǎo de xù hào lián qi lai dú yí biàn jiǎn
再认认真真地按照排好的序号连起来读一遍,检

chá shì fǒu hé lǐ tōng shùn　rú guǒ fā xiàn bù tōng shùn hái děi chóng xīn
查是否合理、通顺。如果发现不通顺，还得重新

pái liè yí biàn
排列一遍。

liàn yi liàn
练一练

bǎ xià mian de gè jù pái chéng yí duàn tōng shùn de huà bǎ
把下面的各句排成一段通顺的话，把

xù hào tián zài　　　　　li
序号填在（　　）里。

dà jiā zǒu jìn jiào shì
(1)（　）大家走进教室，

děng hòu lǎo shī lái shàng kè
（　）等候老师来上课。

shàng kè líng xiǎng le
（　）上课铃响了，

ān ān jìng jìng de zuò zhe
（　）安安静静地坐着，

tā lì kè zǒu guo qu
(2)（　）她立刻走过去。

tū rán tā kàn jiàn dì shang yǒu ge zhǐ tuán
（　）突然，她看见地上有个纸团。

xià kè le xiǎo hóng zài cāo chǎng shang wán
（　）下课了，小红在操场上玩。

bǎ zhǐ tuán jiǎn qi lai diū zài lā jī xiāng li
（　）把纸团捡起来，丢在垃圾箱里。

tā men kàn jiàn qián mian yǒu yí dà piàn shù yè
(3)（　）它们看见前面有一大片树叶，

tū rán xià qi le dà yǔ
（　）突然，下起了大雨。

gǎn jǐn pǎo guo qu zài shù yè xià duǒ yǔ
（　）赶紧跑过去，在树叶下躲雨。

yì qún xiǎo mǎ yǐ zài cǎo dì shang yùn liáng shi
（　）一群小蚂蚁在草地上运粮食。

47

(4)（　　）原来它下了一个热乎乎的鸡蛋。

（　　）很长时间过去了，

（　　）母鸡趴在窝里一动不动。

（　　）它才叫着从窝里走出来。

(5)（　　）大家玩得真痛快。

（　　）我们在公园里有的骑木马，有的跳皮筋，有的玩跷跷板，还有的捉迷藏。

（　　）老师带我们到公园去玩。

（　　）星期六的下午，

(6)（　　）雪地上留下了一个个脚印，像一片片竹叶。

（　　）小鸡高兴地在雪地里跑来跑去。

（　　）下雪了！

（　　）小鸡高兴地说：

（　　）"我会画竹叶！"

三、把句子写具体

（一）给句子"涂"上色彩
yī gěi jù zi tú shang sè cǎi

shì jiè shì wǔ cǎi de lán de tiān bái de yún lǜ de shù gè zhǒng sè

世界是五彩的，蓝的天，白的云，绿的树，各种色

cǎi yàn lì de huā er dōu zài dǎ ban zhe wǒ men de shēng huó zhēng dà wǒ

彩艳丽的花儿都在打扮着我们的生活。睁大我

men de shuāng yǎn nǐ zài shuō huà xiě huà shí bǎ nǐ kàn dào de sè cǎi fàng

们的双眼，你在说话、写话时把你看到的色彩放

jìn qu yí dìng huì shǐ nǐ de yǔ yán biàn de piào liang qǐ lai de

进去，一定会使你的语言变得漂亮起来的。

读一读
dú yi dú
dú xià mian de jù zi gǎn shòu sè cǎi
读下面的句子，感受色彩。

dì di yòng xiǎo chǎn zi wán shā
1. ① 弟弟用小铲子玩沙。
dì di yòng lán sè de xiǎo chǎn zi wā shā
② 弟弟用蓝色的小铲子挖沙。

wǒ zài cǎo dì shang wán
2. ① 我在草地上玩。
wǒ zài bì lǜ de cǎo dì shang wán
② 我在碧绿的草地上玩。

xiǎo bái tù bá le yí ge dà luó bo
3. ① 小白兔拔了一个大萝卜。
xiǎo bái tù bá le yí ge hóng hóng de dà luó bo
② 小白兔拔了一个红红的大萝卜。

49

4.
① chūn tiān dào le yù lán huā kāi le
　春 天 到 了, 玉 兰 花 开 了。

② chūn tiān dào le xuě bái de yù lán huā kāi le
　春 天 到 了, 雪 白 的 玉 兰 花 开 了。

nǐ zǐ xì dú yi dú zhè sì zǔ jù zi jué de nǎ yì zǔ xiě de hǎo
你 仔 细 读 一 读 这 四 组 句 子, 觉 得 哪 一 组 写 得 好

yì diǎn duì a dì èr zǔ ràng wǒ men gǎn shòu dào le sè cǎi
一 点? 对 啊, 第 二 组 让 我 们 感 受 到 了 色 彩。

lián yi lián
连一连

zhào yàng zi bǎ zuǒ yòu liǎng biān de cí yǔ dā pèi qi lai zài
照 样 子 把 左 右 两 边 的 词 语 搭 配 起 来, 再
bǎ yòu bian tú zhōng de shì wù tú shang xiāng yìng de yán sè
把 右 边 图 中 的 事 物 涂 上 相 应 的 颜 色。

（1）
zǐ sè de
紫色的

hóng hóng de
红 红 的

dàn lǜ de
淡 绿 的

bì lǜ de
碧 绿 的

　　là jiāo
　　辣 椒

bō cài
菠 菜

qié zi
茄 子

hú lu
葫 芦

50

（2）
hóng yàn yàn de
红 艳 艳 的

qīng qīng de
青 青 的

zǐ yíng yíng de
紫 莹 莹 的

huáng dēng dēng de
黄 澄 澄 的

píng guǒ
苹 果

lí
梨

cǎo méi
草 莓

pú tao
葡 萄

（3）
huǒ hóng de
火红的　　　qiān niú huā
牵牛花

fěn hóng de
粉红的　　　táo huā
桃花

jīn càn càn de
金灿灿的　　shí liu huā
石榴花

tàn zǐ sè de
淡紫色的　　yóu cài huā
油菜花

（4）
hóng pū pū de
红扑扑的　　yá chǐ
牙齿

jié bái de
洁白的　　　zuǐ chún
嘴唇

wū hēi de
乌黑的　　　liǎn dàn
脸蛋

hóng rùn de
红润的　　　tóu fa
头发

liàn yi liàn
练一练　　wèi xià mian de jù zi hé tú huà pèi shang měi lì de sè cǎi
为下面的句子和图画配上美丽的色彩。

1.
chūn tiān lái le　xiǎo cǎo zhǎng chu lai le
春天来了，小草长出来了。

chūn tiān lái le　　　　　　　　　　de
春天来了，_____的

xiǎo cǎo zhǎng chu lai le
小草长出来了。

2.
zǎo chen　tài yáng cóng dōng fāng shēng qi
早晨，太阳从东方升起

lai le
来了。

zǎo chen　　　　　　　　　　de tài
早晨，_____的太

yáng cóng dōng fāng shēng qi lai le
阳从东方升起来了。

51

52

xiǎo qīng dài zhe yì dǐng mào zi   yí bèng

3. 小青戴着一顶帽子，一蹦

yí tiào de chū mén le

一跳地出门了。

xiǎo qīng dài zhe yì dǐng

小青戴着一顶 _____

de mào zi   yí bèng yí tiào de

_____ 的帽子，一蹦一跳地

chū mén le

出门了。

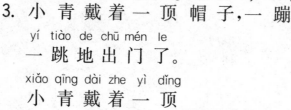

tiān shàng piāo zhe yún duǒ

4. 天上飘着云朵。

de tiān shàng

_____ 的天上

piāo zhe   de yún duǒ

飘着 _____ 的云朵。

huáng guā kāi chu le xiǎo huā

5. 黄瓜开出了小花。

huáng guā kāi chu le

黄瓜开出了 _____

de xiǎo huā

的小花。

cǎo méi hǎo xiàng dài zhe yì dǐng mào zi

6. 草莓好像戴着一顶帽子。

de cǎo méi hǎo

_____ 的草莓好

xiàng dài zhe yì dǐng

像戴着一顶 _____

de mào zi

_____ 的帽子。

（二）让句子发出声音
 èr ràng jù zi fā chū shēng yīn

wǒ men de shì jiè bù jǐn chōng mǎn le xuàn lì de sè cǎi hái yǒu gè
我们的世界不仅充满了绚丽的色彩,还有各

zhǒng měi miào de shēng yīn ne shù qǐ wǒ men de shuāng ěr yòng xīn qīng
种美妙的声音呢!竖起我们的双耳,用心倾

tīng nǐ yí dìng néng gǎn shòu dào píng shí bèi hū lüè de shēng xiǎng rú guǒ
听,你一定能感受到平时被忽略的声响。如果

nǐ zài shuō huà xiě huà shí bǎ nǐ tīng dào de shēng yīn jiā jin qu yí dìng
你在说话、写话时,把你听到的声音加进去,一定

huì shǐ nǐ de yǔ yán biàn de yuè ěr dòng tīng qǐ lai de
会使你的语言变得悦耳、动听起来的。

dú yī dú　dú xià mian de jù zi gǎn shòu shēng yīn
读一读　读下面的句子,感受声音。

1.
　　diàn huà líng xiǎng le
① 电话铃响了。

　　dīng líng líng　diàn huà líng xiǎng le
②"丁零零",电话铃响了。

2.
　　wǎn diào zài dì shang dǎ suì le
① 碗掉在地上,打碎了。

　　pā　　　wǎn diào zài dì shang dǎ suì le
②"啪——",碗掉在地上,打碎了。

3.
　　yǔ diǎn dǎ zài chuāng hu shang
① 雨点打在窗户上。

　　yǔ diǎn pī li pā lā de dǎ zài chuāng hu shang
② 雨点噼里啪啦地打在窗户上。

53

4.
① 胖胖用力一踢，球飞了出去。
pàng pang yòng lì yì tī qiú fēi le chū qu

② 胖胖用力一踢，"咚——"，球飞了出去。
pàng pang yòng lì yì tī dōng qiú fēi le chū qu

仔细读一读这四组句子，觉得哪一组写得好一
zǐ xì dú yi dú zhè sì zǔ jù zi jué de nǎ yì zǔ xiě de hǎo yì

点？是不是第二组让我们有身临其境的感觉？
diǎn shì bu shì dì èr zǔ ràng wǒ men yǒu shēn lín qí jìng de gǎn jué

练一练　写出句子中发出的声音。
liàn yi liàn xiě chu jù zi zhōng fā chū de shēng yīn

1. 在下面句子的(　　)里填上形容声音的
zài xià mian jù zi de lǐ tián shang xíng róng shēng yīn de

词，再读一读。
cí zài dú yi dú

呱呱呱　　呼噜呼噜　　咩咩　　叽叽叽
guā guā guā　　hū lū hū lū　　miē miē　　jī jī jī

喔喔喔　　叽叽喳喳　　呼呼　　轰隆隆
wō wō wō　　jī jī zhā zhā　　hū hū　　hōng lōng lōng

(1)　小猪趴在地上，(　　　　　)
xiǎo zhū pā zài dì shang

地睡了。
de shuì le

(2)　"(　　　　)"，小羊好像
xiǎo yáng hǎo xiàng

在喊"妈妈"。
zài hǎn mā ma

54

(3) "(   )"，qīng wā hǎo xiàng zài 青蛙好像在 shuō：wǒ ya měi tiān zhuō chóng bā shí 说："我呀，每天捉虫八十 bā 八。"

(4) xiǎo má què zhàn zài shù zhī shang 小麻雀站在树枝上，"(de jiào ge bù tíng)"地叫个不停。

(5) "(   )!"dà gōng jī shù qi 大公鸡竖起 wěi ba xiàng zhe tài yáng gāo shēng de 尾巴向着太阳高声地 chàng zhe 唱着。

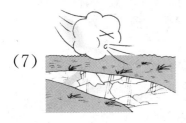

(6) xiǎo jī yì zǒu jìn cài yuán jiù 小鸡一走进菜园，就"(de biān jiào biān zhuō chóng)"地边叫边捉虫。

(7) běi fēng 北风(de guā zhe xiǎo)地刮着，小 hé jié bīng le 河结冰了。

(8)

shǎn diàn guò hòu tiān kōng xiǎng qi
闪 电 过 后，天 空 响 起

de léi shēng
（　　　　）的 雷 声。

gěi xià mian de jù zi jiā shàng biǎo shì shēng yīn de cí yǔ zài dú
2. 给 下 面 的 句 子 加 上 表 示 声 音 的 词 语，再 读

yi dú
一 读。

mén wài xiǎng qi le qiāo mén shēng
(1)"_____"，门 外 响 起 了 敲 门 声。

dì shang luò le hòu hòu de huáng yè cǎi shang qu
(2)地 上 落 了 厚 厚 的 黄 叶，踩 上 去"_____"

de xiǎng zhe
地 响 着。

xiǎo yǔ zhāng kāi zuǐ ba   de yì shēng kū le
(3)小 宇 张 开 嘴 巴，"_____"的 一 声，哭 了

qi lai
起 来。

gē ge pīn mìng de chuī qì qiú   qì qiú zhà le
(4)哥 哥 拼 命 地 吹 气 球，"_____"，气 球 炸 了。

xiǎo mì fēng   de zài huā cóng zhōng fēi
(5)小 蜜 蜂"_____"地 在 花 丛 中 飞。

jiào shì li chuán lai le dà xiào shēng
(6)"_____"，教 室 里 传 来 了 大 笑 声。

sān shǐ jù zi dòng qi lai
（三）使 句 子 动 起 来

wǒ men měi shí měi kè dōu zài dòng kàn shì jiè xiǎng wèn tí shuō huà
我 们 每 时 每 刻 都 在 动，看 世 界、想 问 题、说 话、

mō dōng xi wén qì wèi cháng wèi dao děng děng dōu huì yǒu bù tóng de gǎn
摸 东 西、闻 气 味、尝 味 道 等 等，都 会 有 不 同 的 感

shòu
受。 rú guǒ wǒ men zài shuō huà de shí hou bǎ zì jǐ tǐ yàn dào de huò
如果我们在说话的时候,把自己体验到的或

kàn dào de shuō chu lai nǐ de yǔ yán yí dìng néng ràng bié rén kàn dào dòng
看到的说出来,你的语言一定能让别人看到动

zuò tīng dào shēng yīn mō dào xíng zhuàng wén dào qì wèi cháng dào wèi
作、听到声音、摸到形状、闻到气味、尝到味

dao de
道的。

dú yi dú 读一读　dú xià mian de jù zi gǎn shòu dòng zuò biǎo qíng wèi dao
读下面的句子,感受动作、表情、味道

děng
等。

1.
jiě jie zài kàn dì di
① 姐姐在看弟弟。

jiě jie zhòu zhe méi tóu zài kàn dì di
② 姐姐皱着眉头在看弟弟。

2.
gē ge bào lai le yí ge xī guā
① 哥哥抱来了一个西瓜。

gē ge bào lai le yí ge yòu dà yòu yuán de xī guā
② 哥哥抱来了一个又大又圆的西瓜。

3.
xié zi li de wèi dao zhēn nán wén
① 鞋子里的味道真难闻。

xié zi li chòu hōng hōng de wèi dao zhēn nán wén
② 鞋子里臭烘烘的,味道真难闻。

4.
máng guǒ zhēn hǎo chī
① 芒果真好吃。

máng guǒ tián tián de huá huá de zhēn hǎo chī
② 芒果甜甜的、滑滑的,真好吃。

bǐ jiào yí xià zhè sì zǔ jù zi nǐ jué de nǎ yì zǔ xiě de hǎo
比较一下这四组句子,你觉得哪一组写得好?

zhòu zhe méi tóu xiě chu le jiě jie de bù gāo xìng huò bù mǎn yì yòu dà
"皱着眉头"写出了姐姐的不高兴或不满意,"又大
yòu yuán xiě chu le xī guā de dà xiǎo hé xíng zhuàng chòu hōng hōng xiě
又圆"写出了西瓜的大小和形状,"臭烘烘"写
chu le xié zi li de wèi dao tián tián de huá huá de xiě chu le chī máng
出了鞋子里的味道,"甜甜的、滑滑的"写出了吃芒
guǒ de gǎn jué nǐ kàn zhè yàng zi shuō huà bié rén shì bu shì jiù yǒu le
果的感觉。你看,这样子说话,别人是不是就有了
jù tǐ de gǎn shòu
具体的感受?

lián yi lián yòng zhí xiàn jiāng zuǒ yòu liǎng biān de cí yǔ dā pèi qi lai
连一连 用直线将左右两边的词语搭配起来。

tǐng zhí   jiǎo jiān
(1) 挺直   脚尖

shēn cháng   yǎn jing
伸长   眼睛

diǎn qi   xiōng pú
踮起   胸脯

dèng dà   bó zi
瞪大   脖子

xiāng pēn pēn de   méi zi
(2) 香喷喷的   梅子

tián tián de   guō ba
甜甜的   锅巴

yòu sōng yòu ruǎn de xī guā
又松又软的   西瓜

suān suān de   miàn bāo
酸酸的   面包

58

（3）
nán wéi qíng de
难为情地

qīng qīng de
轻轻地

chī jīng de
吃惊地

rèn zhēn de
认真地

hǎn le qi lai
喊了起来

shuō huà
说话

dī xia le tóu
低下了头

xiě zuò yè
写作业

（4）
xì cháng de
细长的

yuán yuán de
圆圆的

hòu hòu de
厚厚的

míng liàng de
明亮的

mián ǎo
棉袄

zhú zi
竹子

jiào shì
教室

tài yáng
太阳

59

liàn yi liàn àn yāo qiú bǎ jù zi xiě jù tǐ
练一练 按要求把句子写具体。

mèi mei zǒu jìn le fáng jiān
1. 妹妹走进了房间。

mèi mei zěn me yàng de zǒu jìn le fáng jiān
妹妹怎么样地走进了房间？

mèi mei   de zǒu jìn le fáng jiān
妹妹_____地走进了房间。

mā ma zài shuì jiào wǒ tuī kāi mén zǒu le jìn qu
2. 妈妈在睡觉，我推开门走了进去。

mā ma zài shuì jiào wǒ zěn me yàng de tuī kāi mén zǒu le jìn qu
妈妈在睡觉，我怎么样地推开门走了进去？

mā ma zài shuì jiào wǒ   de tuī kāi mén
妈妈在睡觉，我_____地推开门

zǒu le jìn qu
走了进去。

hóng hong līn zhe mǎn mǎn de yì tǒng shuǐ lái dào cài dì
3. 红红拎着满满的一桶水来到菜地。

hóng hong līn zhe mǎn mǎn de yì tǒng shuǐ zěn me yàng de lái dào cài
红红拎着满满的一桶水怎么样地来到菜

dì
地?

hóng hong līn zhe mǎn mǎn de yì tǒng shuǐ
红红拎着满满的一桶水 _____

de lái dào cài dì
地来到菜地。

wǒ yǎo le yì kǒu gān zhe zhēn hǎo chī
4. 我咬了一口甘蔗,真好吃!

wǒ yǎo le yì kǒu gān zhe wèi dao zěn me yàng
我咬了一口甘蔗,味道怎么样?

wǒ yǎo le yì kǒu gān zhe   zhēn hǎo chī
我咬了一口甘蔗, _____ ,真好吃!

xiǎo bái tù bá luó bo
5. 小白兔拔萝卜。

xiǎo bái tù zěn me yàng de bá luó bo
小白兔怎么样地拔萝卜?

xiǎo bái tù   de bá luó bo
小白兔 _____ 地拔萝卜。

dà jiā zuò yóu xì
6. 大家做游戏。

dà jiā zěn me yàng de zuò yóu xì
大家怎么样地做游戏?

dà jiā   de zuò yóu xì
大家 _____ 地做游戏。

作文训练篇

一、根据问题说话

（一）自我介绍

介绍自己时，首先要能清楚地回答每一个问题，然后把这几个问题连起来说一段通顺连贯的话。能干的小朋友可以任选下面其中一题练习写一写。

练一练

1. 你叫什么名字？今年几岁了？你是什么人？

_____

_____

2. 你叫什么名字？今年几岁？在哪所小学读书？家住哪里？家里都有谁？爸爸妈妈做什么工作？

nǐ jiào shén me míng zi   jīn nián jǐ suì   zài shén me dì fang dú

3. 你叫什么名字？今年几岁？在什么地方读

shū nǐ de bān zhǔ rèn lǎo shī shì shéi   nǐ zuì xǐ huan nǎ yí wèi lǎo shī

书？你的班主任老师是谁？你最喜欢哪一位老师？

wèi shén me

为什么？

nǐ jiào shén me míng zi   jīn nián jǐ suì   zài nǎ er dú shū nǐ

4. 你叫什么名字？今年几岁？在哪儿读书？你

zuì xǐ huan zuò shén me   wèi shén me

最喜欢做什么？为什么？

阶梯作文

xià kè le xiǎo péng yǒu huì gàn xiē shén me　yòng xīn guān chá yí xià

下课了，小朋友会干些什么？用心观察一下，

nǐ biàn huì fā xiàn dà jiā wán de nèi róng bù yí yàng zuò de shì qing bù

你便会发现大家玩的内容不一样，做的事情不

yí yàng bǎ dà jiā wán de zuò de lián qi lai shuō yi shuō jiù shì tǐng bú

一样，把大家玩的、做的连起来说一说，就是挺不

cuò de yí duàn huà

错的一段话。

liàn yi liàn
练一练

xià kè le　xiǎo péng yǒu men dào shén me dì fang wán shén me　　dà

1. 下课了，小朋友们到什么地方玩什么？大

jiā wán de zěn me yàng　néng gàn de xiǎo péng yǒu huì yòng yǒu de　　yǒu

家玩得怎么样？能干的小朋友会用"有的……有

de　hái yǒu de　　lái xiě yí duàn tōng shùn de huà ma

的……还有的……"来写一段通顺的话吗？

xià kè le zhí rì shēng zài jiào shì li dōu gàn le xiē shén me　nǐ

2. 下课了，值日生在教室里都干了些什么？你

yě néng yòng　yǒu de　　yǒu de　　hái yǒu de　　xiě yí duàn lián guàn

也能用"有的……有的……还有的……"写一段连贯

de huà ma

的话吗？

（三）我爱爸爸和妈妈
sān wǒ ài bà ba hé mā ma

你爱爸爸妈妈吗？为什么爱他们呢？想想爸爸妈妈平时是怎样关心你、爱护你、帮助你的。可以从学习上、生活上、身体上等方面去思考，也可以按从早晨到晚上的顺序来思考。可以先介绍一下爸爸妈妈的工作单位，再介绍你为什么爱他们。可以写关心你的事，可以写他们在单位工作的事，也可以写他们孝顺老人的事，还可以写他们热心助人的事，等等。最后用"我爱我的爸爸妈妈"结束。记住：一定要把这段话讲给爸爸妈妈听，请他们提提意见。

练一练
liàn yi liàn

66

（四）正确地说话

sì zhèng què de shuō huà
（四）正 确 地 说 话

wǒ men zài píng shí huì yù dào bù tóng de shì qing zài bù tóng de
我们在平时会遇到不同的事情,在不同的
chǎng hé xià yào gēn jù bù tóng de qíng xíng shuō bù tóng nèi róng de huà
场合下要根据不同的情形说不同内容的话。
dú du xià mian de huà xiǎng yi xiǎng yīng gāi zěn me shuō zài bǎ tā xiě xia
读读下面的话,想一想应该怎么说,再把它写下
lai zuì hòu bǎ zhè duàn huà lián qi lai dú yi dú jì zhù bié wàng le jiā
来,最后把这段话连起来读一读。记住:别忘了加
shàng biāo diǎn fú hào
上标点符号!

liàn yi liàn
练一练

1.

sān yuè bā rì shì fù nǚ jié　zǎo shang　wǒ jiàn dào mā ma　duì mā ma

三月八日是妇女节。早 上 ，我见到妈妈，对妈妈

shuō

说 ："＿＿＿＿＿＿＿＿＿＿＿＿＿＿＿＿＿＿＿"

2.

jīn tiān shì nǎi nai de shēng rì　mā ma hé wǒ yì qǐ qù nǎi nai jiā

今 天 是奶奶的 生 日，妈妈和我一起去奶奶家

sòng dàn gāo　wǒ duì nǎi nai shuō

送 蛋糕。我对奶奶说："＿＿＿＿＿＿＿＿＿＿＿＿

＿＿＿＿＿＿＿＿＿＿＿＿＿"

3.

lǐ míng xiě zì bǐ sài dé le yī děng jiǎng　wǒ duì tā shuō

李 明 写字比赛得了一 等 奖。我对他说："＿＿＿＿＿＿

＿＿＿＿＿＿＿"

4.

wǒ kàn jiàn lǎo shī pěng le hěn duō běn zi　wǒ zǒu shàng qián duì lǎo shī

我看见老师捧了很多本子，我走上 前对老师

根据图意说话

shuō
说："_____"

5.

bà ba bèi píng wéi láo dòng mó fàn　tā dài huí yì zhāng jiǎng zhuàng
爸爸被评为劳动模范,他带回一张奖状。
wǒ shù qǐ dà mǔ zhǐ duì bà ba shuō
我竖起大拇指对爸爸说："_____
_____"

6.

hóng hong hé xiǎo lì zài mǎ lù shang biān zǒu biān kàn shū　wǒ kàn jiàn
红红和小丽在马路上 边走边看书。我看见
le lián máng zǒu shàng qián qu duì tā men shuō
了,连忙走上前去对她们说："_____
_____"

7.

wǒ zǒu jìn tú shū guǎn shū jià shang bǎi mǎn le gè zhǒng gè yàng de
我走进图书馆,书架上摆满了各种各样的

shū　wǒ bù yóu de shuō
书。我不由得说："_____"

8.

míng ming jīn tiān shù xué kǎo shì dé le　　　fēn xīn li lè zī zī de
明 明 今 天 数 学 考 试 得 了 100分,心 里 乐 滋 滋 的,

tā còu zài yé ye ěr biān qiāo qiāo de shuō
他 凑 在 爷 爷 耳 边 悄 悄 地 说："_____

yé ye tīng le xiào zhe shuō
_____"爷 爷 听 了,笑 着 说："_____

_____"

二、看图说、写一两句话

（一）看图说话并填空

xiǎo péng yǒu zài kàn dǒng tú huà nèi róng de jī chǔ shang kě yǐ xiān
小朋友在看懂图画内容的基础上，可以先
àn zì jǐ de xiǎng fǎ shuō gěi bà ba mā ma tīng rú guǒ yǒu kùn nan yě kě
按自己的想法说给爸爸妈妈听，如果有困难也可
yǐ àn lǎo shī de tí shì tián shang qià dàng de cí yǔ zài lián qi lai dú yi
以按老师的提示填上恰当的词语，再连起来读一
dú néng lì qiáng de xiǎo péng yǒu dāng rán kě yǐ zì jǐ xiě shang yì liǎng
读，能力强的小朋友当然可以自己写上一两
jù huà luo xiě hǎo le bié wàng jì dú gěi bà ba mā ma tīng yi tīng ràng
句话啰。写好了，别忘记读给爸爸妈妈听一听，让
tā men yì qǐ xīn shǎng nǐ de jié zuò yo rú guǒ néng zài jìn xíng xiū gǎi
他们一起欣赏你的杰作哟！如果能再进行修改，
wén zhāng yí dìng huì gèng jīng cǎi de jiā yóu
文章一定会更精彩的，加油！

liàn yi liàn
练一练

1.

yǒu qíng tí xǐng

【友情提醒】

kàn kan tú tú shang dōu huà le xiē shén me zhè shì shén me
(1) 看看图,图上都画了些什么? 这是什么

dì fang
地方?

xiǎng yi xiǎng zhè fú tú zhǔ yào jiǎng shéi zài gàn shén me
(2) 想一想,这幅图主要讲谁在干什么?

bié wàng le gěi zhè wèi kuài lè de xiǎo péng yǒu qǐ yí ge hǎo tīng
(3) 别忘了给这位快乐的小朋友起一个好听

de míng zi
的名字!

nǐ néng bǎ zhè duàn huà lián qi lai shuō yi shuō ma
(4) 你能把这段话连起来说一说吗?

shéi　　　　shén me dì fang　zěn me yàng de
（谁）　　　（什么地方）　（怎么样地）　bēn pǎo

zài
在 _____ 奔跑,

shén me dì fang　　　　　　　　shén me dōng xi
（什么地方）liú xia le yí chuàn（什么东西）

留下了一串 _____。

2.

yǒu qíng tí xǐng

【友情提醒】

kàn kan tú tú shang dōu huà le xiē shén me
(1) 看看图,图上都画了些什么?

xiǎng yi xiǎng zhè fú tú zhǔ yào huà le shén me dōng xi　tiān qì
（2）想 一 想，这 幅 图 主 要 画 了 什 么 东 西？天 气

zěn me yàng
怎 么 样？

yǔ diǎn luò zài le shén me dì fang　　xiǎng xiàng yí xià yǔ diǎn
（3）雨 点 落 在 了 什 么 地 方？（想 象 一 下，雨 点

luò zài shàng mian hǎo xiàng zài gàn shén me　　néng tīng dào shén me shēng
落 在 上 面 好 像 在 干 什 么？／能 听 到 什 么 声

yīn　xiàng zài gàn shén me
音？像 在 干 什 么？）

nǐ néng bǎ zhè duàn huà lián qi lai shuō yi shuō ma
（4）你 能 把 这 段 话 连 起 来 说 一 说 吗？

shén me dì fang
（什 么 地 方）

xià yǔ la　　yǔ diǎn luò dào le　　　　　　　　　shang zài shù yè
下 雨 啦！雨 点 落 到 了 ＿＿＿＿＿＿＿ 上 ，在 树 叶

gàn shén me　　　　　　zěn me yàng
（干 什 么）　　　　　（怎 么 样）

shang　　　　　　　　　　　　　yǔ diǎn　　　　　　　　a
上 ＿＿＿＿、＿＿＿＿＿。雨 点 ＿＿＿＿＿ 啊！

nǐ hái néng xiǎng dào shén me　　dà shēng shuō gěi bà ba mā ma tīng
（你 还 能 想 到 什 么？大 声 说 给 爸 爸 妈 妈 听，

nǐ yí dìng hěn bàng de
你 一 定 很 棒 的！）

3.

yǒu qíng tí xǐng
【友 情 提 醒】

kàn kan tú　tú shang dōu huà le shéi　　tā men zài gàn shén me
（1）看 看 图，图 上 都 画 了 谁？他 们 在 干 什 么？

tā men zài shén me dì fang wán de　wán de kāi xīn ma
（2）他们在什么地方玩的？玩得开心吗？

néng gàn de xiǎo péng yǒu kě yǐ bǎ tā men zěn me wán de shuō
（3）能干的小朋友可以把他们怎么玩的说

yi shuō
一说。

nǐ néng bǎ zhè duàn huà lián qi lai shuō yi shuō ma
（4）你能把这段话连起来说一说吗？

dāng bǎ xiǎo dòng wù dàng zuò rén lái xiě gù shi shí kě yǐ yòng
＊当把小动物当作人来写故事时，可以用

tā huò tā　ér bú yòng tā le
"他"或"她"，而不用"它"了。

shéi　　　　　　　　　shéi　　　　　shén me dì fang
（谁）　　　　　　　　（谁）　　　　（什么地方）
　　　　　　hé　　　　　　　　zhèng zài　　　　　　shang
_____和_____正在_____上

gàn shén me　　　　　　　　　　　gàn shén me
（干　什么）　　　　　　　　　　（干　什么）
　　　　　　　　xiǎo xióng　　　　　　　　　　　　xiǎo
_____。小熊_____，小

gàn shén me　　　　　　　　　　　zěn me yàng
（干　什么）　　　　　　　　　　（怎么样）
tù　　　　　　　　　　　tā men wán de
兔_____。他们玩得_____！

4.

yǒu qíng tí xǐng
【友情提醒】

tú shang dōu huà le shén me　　xiǎng yi xiǎng zhè shì shén me jì
（1）图上都画了什么？想一想这是什么季

73

阶梯作文

jié　　nǐ cóng nǎ er kàn chu lai de
节？你从哪儿看出来的？

xiǎo hóu zài gàn shén me　　bié wàng le guān chá xiǎo hóu de biǎo
（2）小猴在干什么？（别忘了观察小猴的表

qíng yo
情哟!）

xiǎng xiàng yí xià xiǎo hóu cǎi lián peng shí huì gàn xiē shén me
（3）想象一下，小猴采莲蓬时会干些什么？

yì biān　　　　yì biān
（一边……一边……）

nǐ néng bǎ zhè duàn huà lián qi lai shuō yi shuō ma
（4）你能把这段话连起来说一说吗？

shén me jì jié　　　　　　　　shén me
（什么季节）　　　　　　　　（什么）
　　　　　　到了，　　　　　　　　开了，结了
　　　　　dào le　　　　　　　kāi le jiē le

shén me dōng xi　　　　　　　　zěn me yàng
（什么东西）　　　　　　　　（怎么样）
　　　　　　　。小猴
　　　　　xiǎo hóu

shén me dì fang　　　　　　　　gàn shén me
（什么地方）　　　　　　　　（干什么）　　　yì
来到　　　　　采莲蓬。他一边　　　　　　，一
lái dào　　cǎi lián peng　tā yì biān

gàn shén me
biān（干什么）　　hǎo kāi xīn a
边　　　　　，好开心啊!

èr　　gěi jù zi tú shang měi lì de yán sè
（二）给句子涂上美丽的颜色，

liàn xí shuō huà bìng tián kòng
练习说话并填空

měi tiān wǒ men zhēng kāi yǎn jing jiù néng xīn shǎng dào wǔ cǎi bān lán
每天，我们睁开眼睛就能欣赏到五彩斑斓

de shì jiè hóng hóng de tài yáng lán lán de tiān kōng lǜ lǜ de shù yè wǔ
的世界：红红的太阳、蓝蓝的天空、绿绿的树叶、五
yán liù sè de huā er   shì jiè duō měi a   kuài zhēng dà nǐ de yǎn jing
颜六色的花儿……世界多美啊！快，睁大你的眼睛
hǎo hǎo guān chá bǎ zhè xiē měi lì de sè cǎi bān jìn nǐ de wén zhāng zhōng
好好观察,把这些美丽的色彩搬进你的文章 中,
ràng wǒ men shuō de huà gèng piào liang gèng xī yǐn rén
让我们说的话更漂亮,更吸引人!

liàn yi liàn
练一练

1.

yǒu qíng tí xǐng
【友情提醒】
　　　　　　tú zhōng huà le shén me
(1) 图 中 画了什么?
　　　xiǎng xiang qì qiú huì yǒu nǎ xiē yán sè   nǐ néng wèi tā men tú
(2) 想 想气球会有哪些颜色? 你能为它们涂
shang měi lì de yán sè ràng tā men gèng piào liang ma
上 美丽的颜色,让它们更漂亮吗?
　　　nǐ néng yòng yí ge cí yǔ lái xíng róng zhè me duō de yán
(3) 你能用一个词语来形容这么多的颜
sè ma
色吗?
　　　　　bǎ zhè duàn huà lián qǐ lai shuō yi shuō ba
(4) 把这段话连起来说一说吧!

shén me dì fang
（什么地方）　shén me yàng
piāo zhe　　　（什么样）
飘 着 _____ de qì qiú yǒu
的 气 球, 有

shén me yán sè
（什么颜色）　　　shén me yán sè
　　de yǒu （什么颜色）　　　shén me yán sè
_____ 的, 有 _____ de yǒu （什么颜色）
_____ 的, 有 _____ de
的……

piào liang jí le
漂 亮 极 了!

2.

yǒu qíng tí xǐng
【友 情 提 醒】

　　nǐ zhī dào qiū tiān de yín xìng yè biàn chéng shén me yán sè le
（1）你 知 道 秋 天 的 银 杏 叶 变 成 什 么 颜 色 了
ma　 hǎo hǎo guān chá guān chá zài bǎ tā tú shang měi lì de yán sè
吗? 好 好 观 察 观 察, 再 把 它 涂 上 美 丽 的 颜 色。

　　kāi dòng nǎo jīn xiǎng yi xiǎng yín xìng yè de yàng zi xiàng
（2）开 动 脑 筋 想 一 想, 银 杏 叶 的 样 子 像
shén me
什 么?

　　fēng er yì chuī yín xìng yè lí kāi le shù mā ma zài kōng zhōng
（3）风 儿 一 吹, 银 杏 叶 离 开 了 树 妈 妈, 在 空 中
fēi wǔ xiàng shén me
飞 舞, 像 什 么?

　　nǐ néng bǎ zhè duàn huà lián qi lai shuō yi shuō ma
（4）你 能 把 这 段 话 连 起 来 说 一 说 吗?

shén me yán sè
（什么颜色）

qiū tiān dào le yín xìng yè
秋 天 到 了, 银 杏 叶 _____ le
了,

xiàng shén me
（像 什 么）

fēng er yì chuī yín
。风 儿 一 吹，银

xìng yè lí kāi le shù mā ma zài kōng zhōng fēi wǔ
杏 叶 离 开 了 树 妈 妈 在 空 中 飞 舞，_____

xiàng shén me　　　　　　zěn me yàng
（像 什 么）　　　　　（怎 么 样）

_____，_____！

3.

yǒu qíng tí xǐng
【友 情 提 醒】

nǐ zhī dào xī hóng shì de yè zi shì shén me yán sè de ma
（1）你 知 道 西 红 柿 的 叶 子 是 什 么 颜 色 的 吗？

chéng shú de guǒ shí ne hǎo hǎo xiǎng yi xiǎng bǎ tā men tú shang piào
成 熟 的 果 实 呢？好 好 想 一 想，把 它 们 涂 上 漂

liang de yán sè
亮 的 颜 色。

xī hóng shì de yàng zi xiàng shén me
（2）西 红 柿 的 样 子 像 什 么？

fēng er yì chuī huǎng dòng de xī hóng shì hǎo xiàng zài gàn
（3）风 儿 一 吹，晃 动 的 西 红 柿 好 像 在 干

shén me
什 么？

nǐ néng bǎ zhè duàn huà lián qi lai shuō yi shuō ma
（4）你 能 把 这 段 话 连 起 来 说 一 说 吗？

shén me yán sè
（什 么 颜 色）

xià tiān dào le xī hóng shì zhǎng gāo le yè zi
夏 天 到 了，西 红 柿 长 高 了，叶 子 _____ 的，

xī hóng shì chéng shú le
西 红 柿 成 熟 了，

shén me yàng zi
（什么样子）de

shén me yán sè
（什么颜色）de xiàng

_____的，_____的，像

shén me dōng xi
（什么东西）

shì de guà zài shù shang
似 的 挂 在 树 上，

zěn me yàng
（怎么样）

_____．_____！

fēng er yì chuī xī hóng shì shàng xià huàng dòng hǎo xiàng zài
风 儿 一 吹，西 红 柿 上 下 晃 动，好 像 在

gàn shén me
（干什么）

_____。（！）

4.

yǒu qíng tí xǐng
【友 情 提 醒】

kàn kan tú zhōng fēn bié huà le xiē shén me nǐ zhī dào zhè shì
（1）看 看 图 中 分 别 画 了 些 什 么？你 知 道 这 是

shén me jì jié ma
什 么 季 节 吗？

xiǎng yi xiǎng zhè xiē zhí wù dōu shì shén me yán sè de yòng shǒu
（2）想 一 想 这 些 植 物 都 是 什 么 颜 色 的？用 手

zhōng de huà bǐ tú shang tā nà měi lì de sè cǎi ba zài xiǎng yi xiǎng
中 的 画 笔 涂 上 它 那 美 丽 的 色 彩 吧。再 想 一 想，

zhè xiē dōng xi fēn bié xiàng shén me
这 些 东 西 分 别 像 什 么？

nǐ néng àn cóng shàng dào xià de shùn xù bǎ nǐ guān chá dào de
（3）你 能 按 从 上 到 下 的 顺 序 把 你 观 察 到 的

jǐng wù lián qi lai shuō yi shuō ma bié wàng le jiā shàng tā men de sè cǎi
景 物 连 起 来 说 一 说 吗？别 忘 了 加 上 它 们 的 色 彩

yo
哟！

shén me jì jié
（什么季节）

shén me yán sè
（什么颜色）

dào le liǔ yè _____ le,
到 了，柳叶 _____ 了，

shén me xíng zhuàng
（什么形 状）

xiàng shén me
（像 什么）

de zhī tiáo
的 枝 条 _____,

shén me yán sè
（什么颜色）

de táo huā zhāng kāi le xiào liǎn
的桃 花 张 开 了 笑 脸,

shén me yán sè
（什么颜色）

de yíng
的 迎

shén me
（什么）

chūn huā chuī qǐ le _____
春 花 吹 起 了 _____,

hǎo xiàng zài gào su rén men
好 像 在 告 诉 人 们:

shén me dào le
（什么到了）

"_____!"

sān dòng nǎo dòng shǒu xiǎng xiàng zhe shuō xiě yì liǎng jù huà
（三）动脑动手,想 象 着说、写一两句话

tiān tú xiě huà shì jìn xíng zuò wén xùn liàn de lìng yì zhǒng fāng shì
添图写话是进行作文训练的另一 种 方式。

xiǎo péng yǒu xū yào gēn jù tí gōng de huà miàn jié hé yǐ yǒu de shēng huó
小 朋友需要根据提供的画面,结合已有的生活

jīng yàn zhǎn kāi qià dàng de xiǎng xiàng bǔ chōng huà miàn zài bǎ zì jǐ suǒ
经验,展开恰 当的想 象,补充画面,再把自己所

xiǎng suǒ zuò de yǒu xù de shuō yì shuō ràng bà ba mā ma bāng nǐ jì xia
想 所做的,有序地说一说,让爸爸妈妈帮你记下

lai néng gàn de xiǎo péng yǒu kě yǐ bǎ tā xiě xia lai xiě hǎo le qiān wàn
来,能干的小 朋友可以把它写下来。写好了,千万

bié wàng jì gēn bà ba mā ma yí kuài er xiū gǎi yo
别忘记跟爸爸妈妈一块儿修改哟!

liàn yi liàn
练一练

wǒ shì yí ge yuán wǒ huì biàn
我是一个圆，我会变

yǒu qíng tí xǐng
【友情提醒】

kàn dào yuán xiǎng yi xiǎng shēng huó zhōng nǐ kàn dào nǎ xiē zì
1.看到圆，想一想，生活中你看到哪些自

jǐ shú xi xǐ huan de dōng xi zhōng yǒu yuán
己熟悉、喜欢的东西中有圆。

zhǎn kāi dà dǎn hé lǐ de xiǎng xiàng xiān bǎ huà miàn tiān shang
2.展开大胆、合理的想象，先把画面添上

jǐ bǐ biàn chéng lìng yì zhǒng shì wù xiǎng yi xiǎng tā kě yǐ zuò xiē shén
几笔，变成另一种事物，想一想它可以做些什

me huò zhě gěi wǒ men dài lai shén me biàn huà zài lián qi lai shuō yi shuō
么，或者给我们带来什么变化，再连起来说一说，

zuì hòu xiě xia lai xiǎng de yuè duō yuè yǒu qù dāng rán jiù yuè bàng luo
最后写下来。想得越多、越有趣，当然就越棒啰!

jiā yóu
加油!

nǐ néng tiān shang jǐ bǐ ràng yuán biàn shēn ma kě yǐ cóng zhí wù
你能添上几笔让圆变身吗?(可以从植物、

dòng wù shēng huó yòng pǐn wán jù děng fāng miàn sī kǎo
动物、生活用品、玩具等方面思考)

lì wǒ shì yí ge yuán xiǎo péng yǒu gěi wǒ tiān shang jǐ bǐ wǒ jiù
例:我是一个圆。小朋友给我添上几笔，我就

biàn chéng le yí piàn lù yóu yóu de dà hé yè qīng tíng zài wǒ shēn shang
变成了一片绿油油的大荷叶。蜻蜓在我身上

tiào wǔ qīng wā zài wǒ shēn shang chàng gē xiǎo yú zài wǒ de shēn biān zhuō
跳 舞，青 蛙 在 我 身 上 唱 歌，小 鱼 在 我 的 身 边 捉
mí cáng wǒ zhēn kuài lè
迷 藏。我 真 快 乐!

wǒ shì yí ge yuán xiǎo péng yǒu gěi wǒ tiān shang jǐ bǐ wǒ jiù biàn
我 是 一 个 圆。小 朋 友 给 我 添 上 几 笔，我 就 变
chéng le yí ge dà dà de niǎo wō tiān hēi le niǎo bà ba niǎo mā ma dài
成 了 一 个 大 大 的 鸟 窝。天 黑 了，鸟 爸 爸、鸟 妈 妈 带
zhe tā men de hái zi huí dào le wǒ zhè li jī jī zhā zhā jī jī zhā zhā
着 它 们 的 孩 子 回 到 了 我 这 里，叽 叽 喳 喳，叽 叽 喳 喳，
tā men kuài lè de jiǎng zhe yì tiān zhōng fā shēng de yǒu qù de gù shi ān
它 们 快 乐 地 讲 着 一 天 中 发 生 的 有 趣 的 故 事，安
ān jìng jìng de zuò zhe tián měi de mèng
安 静 静 地 做 着 甜 美 的 梦。

sì kàn tú shuō huà xiě huà
（四）看 图 说 话、写 话

kàn tú xiě huà shì dī nián jí xiǎo péng yǒu zuò wén xùn liàn de zhǔ yào
看 图 写 话 是 低 年 级 小 朋 友 作 文 训 练 的 主 要
xíng shì zhī yī cóng tú huà de nèi róng shang fēn kě fēn wéi dān fú tú duō
形 式 之 一。从 图 画 的 内 容 上 分，可 分 为 单 幅 图、多
fú tú cóng xiě huà de xíng shì shang kě fēn wéi xiě yí jù wán zhěng de
幅 图。从 写 话 的 形 式 上 可 分 为 写 一 句 完 整 的

huà xiě liǎng sān jù tōng shùn lián guàn de huà xiě yí duàn huò jǐ duàn tōng
话、写 两 三 句 通 顺 连 贯 的 话、写 一 段 或 几 段 通

shùn lián guàn de huà
顺 连 贯 的 话。

yī nián jí xué shēng yǐ jiǎn dān de dān fú tú wéi zhǔ yīn wèi tú shang
一 年 级 学 生 以 简 单 的 单 幅 图 为 主,因 为 图 上

huà de wǎng wǎng shì cháng jiàn de shì wù huà de dōng xi wǎng wǎng zhǐ yǒu
画 的 往 往 是 常 见 的 事 物,画 的 东 西 往 往 只 有

yì liǎng yàng róng yì shuō qīng chu xiě míng bai suí zhe liàn xí de shēn
一 两 样,容 易 说 清 楚、写 明 白。随 着 练 习 的 深

rù dān fú tú de nèi róng zài fù zá xiē zài guò dù dào liǎng sān fú tú de
入,单 幅 图 的 内 容 再 复 杂 些,再 过 渡 到 两 三 幅 图 的

xùn liàn xiě huà shí xiān xiě yì liǎng jù huà yāo qiú jù zi tōng shùn míng
训 练。写 话 时 先 写 一 两 句 话,要 求 句 子 通 顺、明

bai wán zhěng zài liàn xí xiě yí duàn huà jù zi zhī jiān yào lián guàn yào
白、完 整。再 练 习 写 一 段 话,句 子 之 间 要 连 贯,要

wéi rào yí ge yì si xiě
围 绕 一 个 意 思 写。

lì
例

yǒu qíng tí xǐng
【友 情 提 醒】

xiān kàn qīng tú shang dōu huà le xiē shén me zhǔ yào jiǎng shéi yào qǐ
先 看 清 图 上 都 画 了 些 什 么,主 要 讲 谁(要 起

míng zi zài gàn shén me zài xiǎng xiàng yí xià huì shì shén me shí jiān zài
名 字)在 干 什 么,再 想 象 一 下 会 是 什 么 时 间,在

shén me dì fang néng gàn de xiǎo péng yǒu hái kě yǐ bǎ tú zhōng rén wù de
什 么 地 方,能 干 的 小 朋 友 还 可 以 把 图 中 人 物 的

dòng zuò xiě yi xiě kàn shéi xiě de zuì bàng
动 作 写 一 写,看 谁 写 得 最 棒!

（shí jiān
时间）

（dì fang
地方）

秋天到了，棉花开了。阿姨在棉花地里采了
qiū tiān dào le mián huā kāi le ā yí zài mián huā dì li cǎi le

（shù liàng
数量）
（yán sè
颜色）

一朵朵 雪白的 棉 花，把口袋 装 得满满
yì duǒ duǒ xuě bái de mián huā bǎ kǒu dai zhuāng de mǎn mǎn

（xīn qíng
心情）

的，可高兴啦！
de kě gāo xìng la

liàn yi liàn
练一练

1.

yǒu qíng tí xǐng
【友情提醒】

先看清楚图上都画了些什么，主要讲谁（一
xiān kàn qīng chu tú shang dōu huà le xiē shén me zhǔ yào jiǎng shéi yí

定要先起好名字）在干什么。再想一想这会是
dìng yào xiān qǐ hǎo míng zi zài gàn shén me zài xiǎng yi xiǎng zhè huì shì

什么时间，在什么地方。能干的小朋友还可以
shén me shí jiān zài shén me dì fang néng gàn de xiǎo péng yǒu hái kě yǐ

把图中人物的动作、表情写一写。记住：一定要
bǎ tú zhōng rén wù de dòng zuò biǎo qíng xiě yi xiě jì zhù yí dìng yào

说清楚了再下笔写！记住：别忘了开头空两格！
shuō qīng chu le zài xià bǐ xiě jì zhù bié wàng le kāi tóu kòng liǎng gé

2.

yǒu qíng tí xǐng
【友情提醒】

　　xiǎng yi xiǎng zhè shì shén me shí jiān shéi zài gàn shén me　néng gàn
　　想一想这是什么时间,谁在干什么。能干
de xiǎo péng yǒu kě yǐ xiǎng yi xiǎng tú zhōng de rén shuā yá qián huì gàn
的小朋友可以想一想图中的人刷牙前会干
xiē shén me shuā yá shí zuǐ li huì yǒu shén me　shì shi kàn nǐ zhǔn xíng
些什么,刷牙时嘴里会有什么。试试看,你准行
de　jì zhù bié wàng le dǎ shang biāo diǎn fú hào
的!记住:别忘了打上标点符号!

3.

kàn kan tú zhè fú tú huà le xiē shén me xiǎng yi xiǎng kě néng shì
看看图,这幅图画了些什么,想一想可能是

shén me shí jiān shéi zài gàn shén me néng gàn de xiǎo péng yǒu hái kě yǐ
什么时间,谁在干什么。能干的小朋友还可以

xiě yi xiě lán zi li zhuāng de shì shén me zài xiě yi xiě lǎo nǎi nai līn lán
写一写篮子里装的是什么,再写一写老奶奶拎篮

zi de dòng zuò xiǎng xiàng yí xià lǎo nǎi nai huì zěn me zǒu hui qu ne zhǔn
子的动作,想象一下老奶奶会怎么走回去呢?准

bèi hǎo le ma xiān shuō yi shuō zài xiě xia lai
备好了吗?先说一说再写下来。

4.

xiǎng xiang tā shì shéi zài gàn shén me kàn kan tā de biǎo qíng nǐ
想想她是谁?在干什么?看看她的表情,你

zhī dào tā de xīn qíng huì zěn yàng　néng gàn de xiǎo péng yǒu kě yǐ xiǎng

知道她的心情会怎样？能干的小朋友可以想

xiàng yí xià huā shì cóng nǎ er lái de shén me yán sè zài jié hé tā de

象一下花是从哪儿来的，什么颜色，再结合她的

dòng zuò lián qǐ lai shuō qīng chu zài bǎ zhè fú tú de nèi róng xiě qīng chu

动作，连起来说清楚，再把这幅图的内容写清楚。

_____

_____

_____

5.

yǒu qíng tí xǐng

【友情提醒】

tā shì shéi qǐng nǐ bāng tā qǐ ge hǎo tīng de míng zi　shǒu li ná

他是谁（请你帮他起个好听的名字）？手里拿

zhe shén me dōng xi　zhèng zài gàn shén me　néng gàn de xiǎo péng yǒu kě

着什么东西？正在干什么？能干的小朋友可

yǐ xiě yi xiě fēng chē de yán sè fēng chē zhuàn dòng shí fā chū de shēng yīn

以写一写风车的颜色，风车转动时发出的声音

hé xiǎo péng yǒu de xīn qíng

和小朋友的心情。

_____

_____

_____

6.

87

yǒu qíng tí xǐng
【友情提醒】

　　xiān gěi xiǎo péng yǒu qǐ ge míng zi ba zài kàn qīng chu tú shang huà
　先 给 小 朋 友 起 个 名 字 吧,再 看 清 楚 图 上 画

le xiē shén me xiǎng yi xiǎng zhè shì yí jiàn shén me shì　néng gàn de xiǎo
了 些 什 么,想 一 想 这 是 一 件 什 么 事。能 干 的 小

péng yǒu kě yǐ xiǎng xiàng yí xià xiǎo shù de yàng zi zhù yì tú zhōng xiǎo
朋 友 可 以 想 象 一 下 小 树 的 样 子,注 意 图 中 小

péng yǒu de dòng zuò hé yǎn shén　xiǎng yi xiǎng tā huì duì xiǎo shù shuō shén
朋 友 的 动 作 和 眼 神。想 一 想 他 会 对 小 树 说 什

me rán hòu lián qi lai shuō jǐ jù huà zài xiě xia lai
么,然 后 连 起 来 说 几 句 话,再 写 下 来。

三、记下生活中的趣事

——画图日记

我们每天总是有规律地生活着，一天下来好像没发生什么事。其实，你只要仔细回忆一下，每天都会发生一些有趣的事情。如果你每天和爸爸妈妈一块儿把你看到的、听到的、经历过的事儿记录下来，你会发现特别有趣。

现在我们年龄小，发生了这么多好玩的事记不下来，将来忘记了多可惜啊！没事，只要你准备一本本子，把你一天下来印象深的事情画下来，再把这件事讲给爸爸妈妈听，让他们记在图画的旁边，大家一块儿分享你的快乐，最后一块儿修改一下，那该多有趣啊！

总结起来其实很简单，就是一想、二画、三说、四改。

想：今天发生了什么事，与平常不一样，或者你发现了什么，先跟爸爸妈妈说一下（这就是我们作文上讲的选材）。

画：把这件事画下来，可以是一幅图，也可以是几幅图（这就是我们作文上讲的构思）。

说：把这件事说一说，请爸爸妈妈记一记。记一行，空一行，便于修改。能力强的小朋友可以逐步过渡到自己写话（这就是我们作文上讲的围绕中心说话、写话）。

改：写好了，一定要读一读，看看有没有把事情说、写清楚，哪些地方啰嗦了，哪些地方不够详细，哪些地方可以换一种说法等，再进行删、添、改（这就是我们作文上讲的修改）。

长此下去，你便有了一双善于发现的眼睛和敏锐的捕捉能力，养成了良好的写作习惯，遇到了什么事情，你自己便会叫起来："我可以把它写下来了！"

89

🌀**读一读**

dú yi dú
读一读

dú du xià mian de wén zhāng shì bu shì hěn yǒu qù
读读下面的文章，是不是很有趣？

jīn tiān mā ma zài xià bān de lù shang
今天，妈妈在下班的路上

gěi wǒ mǎi le yì zhī guō guo mā ma tiāo le
给我买了一只蝈蝈。妈妈挑了

yì zhī lù sè shēn tǐ shǎn shǎn fā liàng de
一只绿色身体、闪闪发亮的

guō guo huí dào jiā li zhǎo tā néng chī de
蝈蝈。回到家里，找它能吃的

dōng xi zhǎo lái zhǎo qù zhǐ zhǎo dào xiāng
东西，找来找去，只找到香

jiāo pí guō guo dà gài dù zi è le ā wū
蕉皮。蝈蝈大概肚子饿了，啊呜

ā wū dà kǒu dà kǒu de chī le qi lai
啊呜，大口大口地吃了起来。

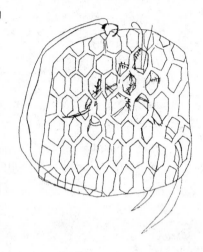

90

点评

mǎi le yì zhī xiǎo guō guo shì bu shì chéng le xiě huà de
买了一只小蝈蝈，是不是成了写话的

nèi róng
内容？

jīn tiān zǎo chen wǒ zì jǐ ná zhe jiā li de
今天早晨，我自己拿着家里的

guō guo dào yuàn zi li gěi guō guo fàng shēng wǒ
蝈蝈到院子里给蝈蝈放生。我

xiān yòng jiǎn zi bǎ lóng zi jiǎn le yí ge gài zi
先用剪子把笼子剪了一个盖子，

rán hòu wǒ bǎ gài zi yì xiān guō guo mǎ shàng jiù
然后我把盖子一掀，蝈蝈马上就

tiào le chu lai pǎo jìn cǎo cóng zhōng zhè xià guō guo zhōng yú pǎo chu le
跳 了 出 来,跑 进 草 丛 中。这 下 蝈 蝈 终 于 跑 出 了
lóng zi kě yǐ zì yóu zì zài de shēng huó le wǒ xī wàng zhè zhī guō guo
笼 子,可 以 自 由 自 在 地 生 活 了。我 希 望 这 只 蝈 蝈
zài yě bú yào bèi bié rén dǎi zhù guān jìn lóng zi
再 也 不 要 被 别 人 逮 住,关 进 笼 子。

点评

wèi guō guo fàng shēng guō guo yě huì yǒu xiǎng fǎ de ba
为 蝈 蝈 放 生,蝈 蝈 也 会 有 想 法 的 吧?

jīn tiān xià wǔ mā ma dài wǒ dào ér tóng
今 天 下 午,妈 妈 带 我 到 儿 童
yī yuàn kàn bìng jīng guò gǔ lóu guǎng chǎng
医 院 看 病。经 过 鼓 楼 广 场,
kàn jiàn le yí liàng gōng gòng qì chē chē li yǒu
看 见 了 一 辆 公 共 汽 车,车 里 有
xǔ duō xiǎo xué shēng jǐ de mǎn mǎn de yuán
许 多 小 学 生,挤 得 满 满 的,原
lái shì xiǎo xué shēng xià lìng yíng wǒ xiǎng wǒ
来 是 小 学 生 夏 令 营。我 想:我
zhǎng dà le yě yào cān jiā xià lìng yíng
长 大 了,也 要 参 加 夏 令 营。

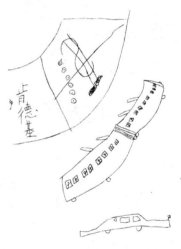

点评

xiàn mù bié rén de shì yě kě yǐ jì lù xia lai yo
羡 慕 别 人 的 事 也 可 以 记 录 下 来 哟!

wǒ men dào le xīn bǎi zhǔn bèi shàng sì lóu mǎi dōng xi zuò diàn tī
我 们 到 了 新 百,准 备 上 四 楼 买 东 西。坐 电 梯
kě hǎo wán le wǒ fā xiàn diàn tī shang yǒu zì huān yíng guāng lín wǔ lóu
可 好 玩 了。我 发 现 电 梯 上 有 字:欢 迎 光 临、五 楼

儿童服装等。我就跑到"欢迎光临"那一层，得意洋洋地告诉爸爸妈妈："我是站在欢迎光临上的。"

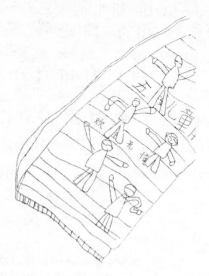

你们看，这不，人家的脸朝上，我的脸却朝下，屁股朝上。

点评

你看，坐电梯上下楼，也能这么开心。

晚上，妈妈给我洗了头，头发乱七八糟的。于是，我拿了一把梳子，就对着镜子开始梳头。一会儿，妈妈进来了，我指着梳理好的头发对妈妈说："妈妈，你看我设计的发型怎么样?"妈妈看了，边笑边说："你设计的是个二锅头。"

点评

zhào jìng zi shū ge tóu yě tǐng yǒu yì si ba
照 镜子梳个头,也挺有意思吧?

jīn tiān xià wǔ mā ma jiē wǒ huí jiā
今天下午,妈妈接我回家,

zài gǔ lóu guǎng chǎng kàn dào le yí liàng sǎ
在鼓楼广场看到了一辆洒

shuǐ chē sǎ shuǐ chē rào zhe gǔ lóu guǎng chǎng
水车,洒水车绕着鼓楼广场

màn màn de biān kāi biān sǎ shuǐ bái huā huā
慢慢地边开边洒水,白花花

de shuǐ liú zài dì shang dì hǎo xiàng xǐ le
的水流在地上,地好像洗了

zǎo yí yàng chē dǐng shang yǒu yí ge xiǎo
澡一样。车顶上有一个小

lǎ ba zhèng fàng zhe yīn yuè wǒ xīn li
喇叭正放着音乐。我心里

xiǎng wǒ huí jiā néng bu néng bǎ zhè sǎ shuǐ chē huà chéng qì chē wá wa
想:我回家能不能把这洒水车画成汽车娃娃?

duì kě yǐ huà chéng qì chē wá wa bǎ qì chē biàn de gèng yǒu qù
对!可以画成汽车娃娃,把汽车变得更有趣。

点评

tū fā qí xiǎng shì bu shì yě kě yǐ chéng wéi xiě huà de
突发奇想,是不是也可以成为写话的

nèi róng
内容?

jīn tiān shì xīng qī tiān mā ma dài wǒ dào shān xī lù kěn dé jī kuài
今天是星期天,妈妈带我到山西路肯德基快

cān diàn chī miàn bāo hé jī tuǐ chī wán hòu wǒ men zǒu chū kěn dé jī wǒ
餐店吃面包和鸡腿。吃完后,我们走出肯德基,我一边走一边喝牛奶。突然，一位叔叔和一位阿姨从我们身边擦身而过，只见叔叔身穿白衬衫、黑裤子，腰上系着一条皮带，左手拿着在肯德基买的冷饮——草莓冰激凌。由于天气很热，冷饮化了，叔叔光顾着讲话，手里的杯子倾斜了，冷饮滴滴答答，一路走，一路漏，好"潇洒"哟！妈妈和我见了，不由得咯咯咯咯笑起来。

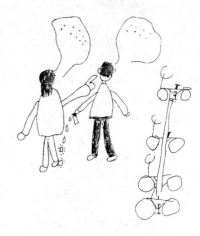

点评

路上看到的事情，是不是也蛮好玩的？

下午，妈妈接我回家。路上，妈妈说："你上幼儿园的天数越来越少了。"我说："不，以后我还能上幼儿园。"妈妈奇怪地说："你长大了，要上学了，怎

me hái yǒu jī huì zài shàng yòu ér yuán ne wǒ dé yì de shuō jīn hòu wǒ
么还有机会再上幼儿园呢?"我得意地说:"今后我

yǒu le xiǎo bǎo bao wǒ yào dài wǒ de xiǎo bǎo bao shàng yòu ér yuán mā
有了小宝宝,我要带我的小宝宝上幼儿园。"妈

ma hā hā dà xiào zhēn de wǒ zěn me jiù méi xiǎng dào ne wǒ wèn mā
妈哈哈大笑:"真的,我怎么就没想到呢?"我问妈

ma nǐ cāi wǒ jīn hòu yǒu le bǎo bao shì nán de hái shi nǚ de mā ma
妈:"你猜,我今后有了宝宝,是男的还是女的?"妈妈

xiǎng le xiǎng shuō yí dìng shì nán hái zi wèi shén me mā ma shuō wǒ
想了想,说:"一定是男孩子。""为什么?"妈妈说我

de xiǎo bǎo bao yào gēn wǒ yí yàng néng gàn wǒ gào su mā ma nán de
的小宝宝要跟我一样能干。我告诉妈妈:"男的

chéng cái de duō nǐ zěn me zhī dào de ne shěn fú jùn mā ma
成才的多!""你怎么知道的呢?""沈浮郡妈妈

shuō de
说的。"

nǐ kàn wǒ dài zhe wǒ de xiǎo bǎo bao shàng yòu ér yuán le
你看,我带着我的小宝宝上幼儿园了!

点评

nǐ kàn hé mā ma de duì huà shì bu shì tǐng yǒu qù de
你看,和妈妈的对话是不是挺有趣的?

wǎn shang wǒ men sān ge dōu zài xǐ jiǎo yā
晚上,我们三个都在洗脚丫,

mā ma zhàn zài jiǎo pén li mō zhe dù zi duì bà
妈妈站在脚盆里,摸着肚子对爸

ba shuō nǐ kàn wǒ de dù zi wǒ tái tóu yí
爸说:"你看,我的肚子。"我抬头一

kàn hā hā mā ma bèi xīn shang chū xiàn le yí ge
看,哈哈,妈妈背心上出现了一个

xiǎo wá wa de guài liǎn wǒ gǎn jǐn gào su mā
小娃娃的怪脸。我赶紧告诉妈

95

ma mā ma xǐ hǎo jiǎo zhàn zài jìng zi qián mian yí kàn hēi hái
妈,妈妈洗好脚站在镜子前面一看:"嘿,还

zhēn xiàng
真像!"

点评

mā ma chū yáng xiàng le hēi hēi tǐng hǎo wán de ba
妈妈出洋相了,嘿嘿,挺好玩的吧?

jīn tiān wǒ men dào pó po jiā kàn wàng
今天我们到婆婆家看望

gōng gong pó po lù shang bà ba mǎi le
公公婆婆。路上,爸爸买了

yí ge dà xī guā xī guā fàng zài le chē
一个大西瓜,西瓜放在了车

shang kě bà ba zhàn zài xiǎo diàn qián hái bù
上,可爸爸站在小店前还不

zǒu yíng yè yuán wèn nǐ hái yào mǎi shén
走。营业员问:"你还要买什

me bà ba shuō zhǎo de qián zài nǎ er
么?"爸爸说:"找的钱在哪儿?"

yíng yè yuán shuō zài zhè er wǒ hé mā ma hā hā dà xiào yuán lái qián
营业员说:"在这儿。"我和妈妈哈哈大笑,原来钱

fàng zài le páng biān de guā shang shì jǐ ge yìng bì
放在了旁边的瓜上,是几个硬币。

点评

yuán lái bà ba yě huì nào xiào hua de yí dìng yào jì xia lai
原来爸爸也会闹笑话的,一定要记下来。

jīn tiān yào kǎo shì le zǎo shang wǒ jiàn mā ma gěi wǒ zhǔn bèi hǎo
今天要考试了。早上,我见妈妈给我准备好

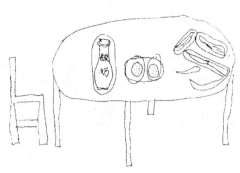

le zǎo cān yǒu suān nǎi liǎng kuài yuán
了早餐:有酸奶,两块圆

bǐng gān liǎng gēn yóu tiáo páng biān
饼干,两根油条,旁边

hái fàng zhe yì bǎ dāo wǒ jué de
还放着一把刀。我觉得

hěn qí guài xì xì yì xiǎng ò wǒ
很奇怪,细细一想,哦,我

zhī dào le nà shì yì bǎi fēn yuán lái mā ma shì xī wàng wǒ dé yì bǎi
知道了,那是一百分。原来妈妈是希望我得一百

fēn a
分啊!

点评

yí dùn bié yàng de zǎo cān yuán lái shì yǒu yòng xīn de a
一顿别样的早餐,原来是有用心的啊!

97

zuó tiān xià le yì cháng dà yǔ lù
昨天下了一场大雨,路

shang kēng kēng wā wā de lǐ mian jī zhe xǔ
上坑坑洼洼的,里面积着许

duō shuǐ wǒ men mǎi le bào zhǐ zǒu jìn dà
多水。我们买了报纸走进大

yuàn kàn jiàn shuǐ kēng li yǒu yì zhī xiǎo
院,看见水坑里有一只小

chóng zi mā ma jí máng yòng jiǎo qù cǎi
虫子,妈妈急忙用脚去踩,

jiǎo hái méi luò dì shuǐ chóng zi xiàng yú léi
脚还没落地,水虫子像鱼雷

yí yàng cháo qián yì chōng hā hā mā ma
一样,朝前一冲。哈哈,妈妈

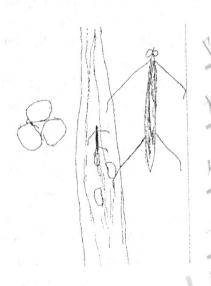

cǎi le ge kōng jiē zhe yòu cǎi le hǎo jǐ jiǎo shuǐ chóng zi hǎo xiàng zài hé
踩了个空!接着又踩了好几脚,水虫子好像在和

mā ma wán yóu xì
妈妈玩游戏。

shuǐ chóng zi yì bān dōu shēng huó zài chí táng xiǎo hé li zěn me pǎo
水虫子一般都生活在池塘、小河里,怎么跑
dào dà yuàn li lái le huì bu huì shì tā kāi le yì tiáo mì mì tōng dào
到大院里来了?会不会是它开了一条秘密通道?

点评

shuǐ li de chóng zi yě néng wán de nà me kāi xīn
水里的虫子也能玩得那么开心!

jīn tiān xià wǔ mā ma hé bà ba bāng wǒ
今天下午,妈妈和爸爸帮我
tiē zì bú liào jiāo shuǐ níng jié qi lai le
贴字,不料,胶水凝结起来了,
xiàng yì tuán shuǐ jīng miàn fěn mā ma zài shǒu
像一团水晶面粉。妈妈在手
shang wán qi le jiāo shuǐ miàn mā ma shuō zhè
上玩起了胶水面,妈妈说这
shì shuǐ jīng miàn tiáo wǒ yě wèn mā ma yào
是水晶面条。我也问妈妈要
le yì diǎn er wán yú shì shuǐ jīng miàn tiáo
了一点儿玩。于是水晶面条
jiù cóng mā ma shǒu li diào xia lai le wǒ
就从妈妈手里掉下来了。我

shuāng shǒu yì jiē nián hū hū de zhēn yǒu qù yào chī fàn le bà ba chū
双手一接,黏乎乎的,真有趣!要吃饭了,爸爸出
le ge zhǔ yi shuō bǎ shuǐ jīng miàn tiáo shuāi dào lóu xià lǎo shǔ wén dào
了个主意,说:"把水晶面条摔到楼下,老鼠闻到
xiāng wèi jiù xiǎng cháng chang yòng wěi ba zhān yì diǎn fàng dào zuǐ ba li
香味,就想尝尝,用尾巴沾一点,放到嘴巴里,
jié guǒ wū wū wū zhāng bu kāi zuǐ le mā ma jiù bǎ liǎng tuán shuǐ jīng
结果,呜呜呜,张不开嘴了。"妈妈就把两团水晶

miàn tiáo rēng dào le lóu xià
面 条 扔 到 了 楼 下 。

点评

wán méi yǒu yòng le de dōng xi　yě néng nà me kāi xīn
玩 没 有 用 了 的 东 西 , 也 能 那 么 开 心 !

jīn tiān　bà ba mā ma dài wǒ dào xuán wǔ hú gōng yuán huà hé huā
今 天 , 爸 爸 妈 妈 带 我 到 玄 武 湖 公 园 画 荷 花 。

wǒ men lái dào yí ge hé huā chí biān kàn
我 们 来 到 一 个 荷 花 池 边 , 看

jiàn yí piàn lǜ yóu yóu de hé yè gài zhù le
见 一 片 绿 油 油 的 荷 叶 盖 住 了

shuǐ miàn　hé yè yǒu gè zhǒng xíng zhuàng yǒu
水 面 , 荷 叶 有 各 种 形 状 : 有

de yuán yuán de　hǎo xiàng gē tái yào shi yǒu
的 圆 圆 的 , 好 像 歌 台 , 要 是 有

jǐ zhī qīng wā dūn zài shàng mian guā guā
几 只 青 蛙 蹲 在 上 面 呱 呱

chàng gē　nà duō hǎo　yǒu de bàn kāi zhe
唱 歌 , 那 多 好 ! 有 的 半 开 着 ,

99

hǎo xiàng yí gè ge xiǎo lǒu zi　hái yǒu de gāng gāng zhǎng chu lai xiàng yí
好 像 一 个 个 小 篓 子 ; 还 有 的 刚 刚 长 出 来 , 像 一

jià jià zhǔn bèi qǐ fēi de huá xiáng jī　yí zhèn fēng chuī guo lai hé yè zuǒ
架 架 准 备 起 飞 的 滑 翔 机 。 一 阵 风 吹 过 来 , 荷 叶 左

yòu yáo huàng wèi rén men tiào qǐ le hé yè wǔ duō měi a　zài yí piàn lǜ
右 摇 晃 , 为 人 们 跳 起 了 荷 叶 舞 , 多 美 啊 ! 在 一 片 绿

yè zhōng mào chu yì diǎn diǎn de hóng sè　nà shì hé huā yǒu de yǐ jīng
叶 中 , 冒 出 一 点 点 的 红 色 , 那 是 荷 花 , 有 的 已 经

shèng kāi yǒu de bàn kāi zhe yǒu de hán bāo yù fàng hái yǒu de shì huā gǔ
盛 开 , 有 的 半 开 着 , 有 的 含 苞 欲 放 , 还 有 的 是 花 骨

duo er
朵 儿 。

点评

xīn shǎng zhe dà zì rán zhè me měi de jǐng xiàng xīn qíng gāi
欣赏着大自然这么美的景象，心情该
duō hǎo a
多好啊！

jīn tiān xià wǔ wǒ hé bà ba dǎ yǔ
今天下午，我和爸爸打羽
máo qiú dǎ zhe dǎ zhe bà ba dǎ le ge
毛球。打着打着，爸爸打了个
gāo qiú wǒ yòng lì yí kòu kòu zài le jiè
高球，我用力一扣，扣在了界
nèi wǒ gāo xìng de tiào le qi lai bà ba
内。我高兴地跳了起来。爸爸
shuō wǒ yě xíng yú shì jiù fā le yí ge
说："我也行。"于是就发了一个
yòng lì qiú chà yì diǎn er jiù luò dì le
用力球，差一点儿就落地了。

wǒ bǎ pāi zi tiē zhe dì miàn wǎng shàng yì tiǎo hā qǐ lai la wǒ yòu
我把拍子贴着地面，往上一挑，哈，起来啦！我又
yòng lì yí kòu yā xiàn le bà ba qì de guǐ hǎn guǐ jiào hā hā hā hā
用力一扣，压线了！爸爸气得鬼喊鬼叫。哈哈哈哈，
tài kāi xīn la
太开心啦！

点评

bà ba yě yǒu yùn qi bù hǎo de shí hou hē hē
爸爸也有运气不好的时候，呵呵！

jīn tiān bà ba mā ma dài wǒ dào zhōng yāng shāng chǎng qù guàng shāng
今天，爸爸妈妈带我到中央商场去逛商
diàn wǒ men guàng dào dēng jù guì tái tū rán wǒ fā xiàn yǒu yì zhǎn yǔ
店。我们逛到灯具柜台，突然，我发现有一盏与

zhòng bù tóng de dēng jù yàng zi
众 不 同 的 灯 具,样 子
xiàng shuǐ chē shàng mian yǒu sān ge
像 水 车,上 面 有 三 个
xiàng pán zi yí yàng de dōng xi cóng
像 盘 子 一 样 的 东 西,从
zuì shàng mian yí ge dī xia shuǐ zài
最 上 面 一 个 滴 下 水,再
cóng dì èr ge lòu xia qu chuán dào
从 第 二 个 漏 下 去,传 到
dì sān ge shang dì sān ge zài liú dào
第 三 个 上,第 三 个 再 流 到
xià mian de shuǐ chē li shuǐ chē bù
下 面 的 水 车 里。水 车 不
tíng de zhuàn dòng shuǐ yòu cóng shuǐ chē
停 地 转 动,水 又 从 水 车

shang liú dào xià mian yí ge dà pén zi li pén zi li yǒu xǔ duō shuǐ shuǐ
上 流 到 下 面 一 个 大 盆 子 里,盆 子 里 有 许 多 水,水
li yǒu yì gēn guǎn zi zuì shàng mian de shuǐ shì tōng guò zhè gēn guǎn zi xī
里 有 一 根 管 子,最 上 面 的 水 是 通 过 这 根 管 子 吸
shang qu de bà ba gào su wǒ zhè li yǒu ge shuǐ bèng zài gōng zuò
上 去 的。爸 爸 告 诉 我:这 里 有 个 水 泵 在 工 作。
wǒ kàn dào zhè me yǒu qù de dēng jù shě bu de lí kāi zhēn xiǎng bǎ
我 看 到 这 么 有 趣 的 灯 具,舍 不 得 离 开,真 想 把
tā mǎi huí jiā kě shì tā de jià gé tài guì le yào duō yuán ne mǎi
它 买 回 家。可 是,它 的 价 格 太 贵 了,要 3 900 多 元 呢,买
bu qǐ a zhǐ hǎo duō kàn jǐ yǎn
不 起 啊! 只 好 多 看 几 眼。

101

点评

yǔ zhòng bù tóng de dēng jù duō xī yǐn yǎn qiú a
与 众 不 同 的 灯 具 多 吸 引 眼 球 啊!

xīng qī sān jiù yào shàng zì rán kè le
星期三就要上自然课了，

zhāng lǎo shī bù zhì wǒ men měi rén yào dǎi yì
张老师布置我们每人要逮一

zhī wō niú zhè jǐ tiān tiān qì nà me hǎo shàng
只蜗牛。这几天天气那么好，上

nǎ er qù zhuō wō niú ne
哪儿去捉蜗牛呢？

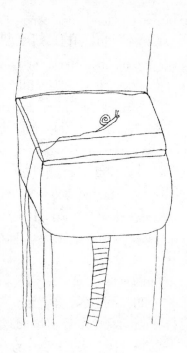

wǎn shang wǒ zài fáng jiān li xǐ jiǎo hū
晚上，我在房间里洗脚。忽

rán tīng jiàn zhèng zài shuā yá de mā ma zài shuǐ
然听见正在刷牙的妈妈在水

chí biān hǎn kuài guò lai kàn kan zhè shì shén
池边喊："快过来，看看这是什

me dào dǐ shì shén me ya wǒ zhuī wèn le
么？""到底是什么呀？"我追问了

yí jù nǐ shì bu shì yào dǎi wō niú a wǒ diǎn dian tóu shuō shì
一句。"你是不是要逮蜗牛啊？"我点点头说："是

a nǐ kàn wǒ bú fèi chuī huī zhī lì jiù bāng nǐ dé dào yì zhī wō
啊。""你看，我不费吹灰之力就帮你得到一只蜗

niú mā ma dé yì de shuō wǒ yì tīng lián jiǎo dōu méi cā chuān shang tuō
牛。"妈妈得意地说。我一听，连脚都没擦，穿上拖

xié pǎo chu lai yí kàn zhǐ jiàn shuǐ chí biān shang yǒu yì zhī xiǎo wō niú kā
鞋，跑出来一看：只见水池边上有一只小蜗牛，咖

fēi sè de ké shēn zhe cháng cháng de nǎo dai zhèng bù tíng de yáo huàng zhe
啡色的壳，伸着长长的脑袋，正不停地摇晃着

liǎng duì chù jiǎo hǎo xiàng zài kàn mā ma shuā yá jué de hěn xīn xiān
两对触角，好像在看妈妈刷牙，觉得很新鲜。

hā hā zhēn shi tā pò tiě xié wú mì chù dé lái quán bú fèi gōng
"哈哈，真是踏破铁鞋无觅处，得来全不费功

fu xīng qī sān de zì rán kè wǒ kě yǐ jiāo chāi lou wǒ gāo xìng de jǔ
夫！星期三的自然课我可以交差喽！"我高兴得举

zhe quán tóu jiào le qi lai
着拳头叫了起来。

突然出现的一只小蜗牛,也能带来这么多的快乐!

今天早上我在拿牛奶的路上,看见院子拐角的牵牛花开了第一朵花。牵牛花开口朝上,像个小喇叭,上大下小,粉红色的圆形花瓣向四边展开,中间有个淡黄色的蕊,身子长长的,下面有一个花托,与藤连接着,好像正在吹起床号呢!我飞快地奔回家,兴奋地对妈妈说:"妈妈,你猜今天楼下有什么变化?""什么变化?""等一会儿你自己去看。"我神秘地说。妈妈看了看我手中的小篮子,不解地问:"是不是今天的牛奶还没到啊?"我一拍脑袋:"不好!忘了拿牛奶了!"赶紧又向牛奶站奔去。

点评

意外地发现牵牛花开了，惊喜却使自己忘记了拿牛奶。真有意思！

看看小朋友的画画日记，读一读他们说的故事，是不是挺有趣的？如果你也能这么做，并坚持，相信，经过你的努力，你一定会超过他们的，加油！

小学生作文起跑线小学生作文起跑线小学生作文起跑
小学生作文起跑线小学生作文起跑线小学生作文起跑
小学生作文起跑线小学生作文起跑线小学生作文起跑
小学生作文起跑线小学生作文起跑线小学生作文起跑

作文赏析篇

chéng jī dàn
1. 盛鸡蛋

hǎo de xí zuò
好 的 习作

kuài chī fàn de shí hou wǒ kàn jiàn zhuō shang yǒu yí ge xiǎo mù tǒng
快 吃 饭 的 时 候，我 看 见 桌 上 有 一 个 小 木 桶，

dǎ kāi yí kàn wā shì zhēng jī dàn zhè kě shì wǒ zuì ài chī de wǒ jí
打 开 一 看，哇，是 蒸 鸡 蛋，这 可 是 我 最 爱 吃 的！我 急

máng ná qǐ sháo zi wā le yì sháo dào jìn wǎn li hā hā hā hā dà
忙 拿 起 勺 子，挖 了 一 勺，倒 进 碗 里。"哈 哈 哈 哈"，大

jiā dōu xiào le qǐ lai wǒ yí kàn á wǒ bǎ zhēng jī dàn fàng jìn yān huī
家 都 笑 了 起 来。我 一 看，啊，我 把 蒸 鸡 蛋 放 进 烟 灰

gāng li le zhēn nán wéi qíng a wǒ hèn bu de zhǎo yí ge dì fang duǒ
缸 里 了！真 难 为 情 啊！我 恨 不 得 找 一 个 地 方 躲

qi lai
起 来。

wèi shén me hǎo
为 什 么 好

kàn dào zì jǐ zuì ài chī de zhēng jī dàn xiǎo zuò zhě pò bù jí dài
看 到 自 己 最 爱 吃 的 蒸 鸡 蛋，小 作 者 迫 不 及 待

de wā le yì sháo jié guǒ nào le ge xiào hua xiǎo zuò zhě de kě guì zhī
地 挖 了 一 勺，结 果 闹 了 个 笑 话。小 作 者 的 可 贵 之

chù zài yú tā méi yǒu cuò guò zhè yàng yí ge kě yǐ xiě huà de jī huì hé
处 在 于 他 没 有 错 过 这 样 一 个 可 以 写 话 的 机 会，和

wǒ men fēn xiǎng le tā shēng huó zhōng de yì duǒ yǒu qù de xiǎo làng huā
我 们 分 享 了 他 生 活 中 的 一 朵 有 趣 的 小 浪 花。

yòng   huà chū biǎo xiàn wǒ nán wéi qíng de jù zi
用"～～～"画出表现"我"难为情的句子。

kù zi shī le
2. 裤子湿了

hǎo de xí zuò
◎ 好的习作

zhōng wǔ chī fàn de shí hou tóng zhuō yí bù xiǎo xīn bǎ yì wǎn tāng
中午吃饭的时候,同桌一不小心把一碗汤
quán dōu sǎ dào wǒ de kù zi shang   yì kāi shǐ wǒ gǎn jué tuǐ shang rè rè
全都洒到我的裤子上。一开始,我感觉腿上热热
de kě shì guò le yí huì er jiù jué de liáng liáng de hǎo xiàng lěng shuǐ pō
的,可是,过了一会儿,就觉得凉凉的,好像冷水泼
zài le shēn shang ní lǎo shī gǎn jǐn gěi mā ma dǎ diàn huà ràng tā sòng
在了身上。倪老师赶紧给妈妈打电话,让她送
gān jìng de kù zi dào xué xiào lái   yú lǎo shī zǒu guo lai kàn le kàn wǒ de
干净的裤子到学校来。俞老师走过来,看了看我的
kù zi xiào le qīng qīng duì wǒ shuō nǐ niào kù zi le wǒ jué de hěn
裤子,笑了,轻轻对我说:"你尿裤子了?"我觉得很
hǎo xiào gǎn jǐn shuō bú shì bú shì
好笑,赶紧说:"不是不是!"

wèi shén me hǎo
◎ 为什么好

dōu shì yì wǎn tāng rě de huò nǐ kàn kù zi shī le bèi lǎo shī xì
都是一碗汤惹的祸!你看,裤子湿了,被老师戏

107

shuō chéng niào kù zi le   bú shì bú shì   xiǎo zuò zhě de biàn jiě xiě de
说 成 尿 裤 子 了。"不 是 不 是!"小 作 者 的 辩 解 写 得

duō shēng dòng a   xiǎo zuò zhě bǔ zhuō zhù le shēng huó zhōng de xiǎo diǎn
多 生 动 啊! 小 作 者 捕 捉 住 了 生 活 中 的 小 点

dī shì bu shì shí fēn yǒu qù
滴,是 不 是 十 分 有 趣?

 hǎo zài nǎ li
好 在 哪 里……

　　tāng pō sǎ zài wǒ shēn shang yǒu shén me gǎn jué   yòng   huà
　1. 汤 泼 洒 在"我"身 上 有 什 么 感 觉? 用"～～"画

chū yǒu guān jù zi
出 有 关 句 子。

　　yú lǎo shī zhī dào le tāng pō zài le wǒ de shēn shang hòu gēn
　2. 俞 老 师 知 道 了 汤 泼 在 了 我 的 身 上 后,跟

wǒ kāi qi le wán xiào tā shì zěn me zuò zěn me shuō de   yòng
"我"开 起 了 玩 笑,她 是 怎 么 做、怎 么 说 的? 用"——"

huà chū yǒu guān jù zi
画 出 有 关 句 子。

wǒ de yī fu chuān fǎn le
3. 我的衣服穿反了

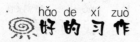 hǎo de xí zuò
好 的 习 作

　　zhōng wǔ dà kè jiān wán de shí hou yú lǎo shī xiào mī mī de duì wǒ
　中 午,大 课 间 玩 的 时 候,俞 老 师 笑 眯 眯 地 对 我

shuō lín yǔ nǐ de yī fu chuān fǎn le   wǒ dī tóu kàn le kàn zì jǐ de
说:"林 宇,你 的 衣 服 穿 反 了。"我 低 头 看 了 看 自 己 的

máo yī shuō méi yǒu chuān fǎn   yú lǎo shī lā zhe wǒ de yī fu shuō nǐ
毛 衣,说:"没 有 穿 反。"俞 老 师 拉 着 我 的 衣 服 说:"你

再看看。"我仔细地看了看我的衣服，真的，毛衣上的小花不见了，只有一道道横线，好像在咧着嘴笑我呢！我的衣服真的穿反了！我笑了笑，不好意思地掉头跑了。

◎ 为什么好

一个粗心的小男孩，连自己的毛衣穿反了都不知道。事情虽然很简单，但小作者把反穿的毛衣描写得十分有趣，真不简单！

◎ 好在哪里……

"我"从什么地方看出来自己的毛衣穿反了？请用"——"画出有关句子。

4. 老师不理我了
lǎo shī bù lǐ wǒ le

hǎo de xí zuò
好的习作

　　语文课上,我动来动去,被老师发现了。老师
yǔ wén kè shang wǒ dòng lái dòng qù bèi lǎo shī fā xiàn le　lǎo shī

生气了,皱着眉头说:"这节课不理你了!"我的心
shēng qì le zhòu zhe méi tóu shuō　zhè jié kè bù lǐ nǐ le　wǒ de xīn

"怦 怦 怦"跳得很厉害,眼泪马上就要掉下来了。
pēng pēng pēng tiào de hěn lì hai yǎn lèi mǎ shàng jiù yào diào xia lai le

我使劲忍着,心里说:你不理我,我一定要改,让你理
wǒ shǐ jìn rěn zhe xīn li shuō nǐ bù lǐ wǒ wǒ yí dìng yào gǎi ràng nǐ lǐ

我!
wǒ

　　一下课,我就把语文书放放好,上课老师提什
yí xià kè　wǒ jiù bǎ yǔ wén shū fàng fang hǎo shàng kè lǎo shī tí shén

么问题我都举手。一开始老师真的没理我,我还是
me wèn tí wǒ dōu jǔ shǒu　yì kāi shǐ lǎo shī zhēn de méi lǐ wǒ wǒ hái shi

认真地学习,眼睛盯着老师看,积极举手。终于,
rèn zhēn de xué xí yǎn jing dīng zhe lǎo shī kàn jī jí jǔ shǒu zhōng yú

老师表扬我了,还请我发了两次言呢!
lǎo shī biǎo yáng wǒ le hái qǐng wǒ fā le liǎng cì yán ne

　　老师终于理我了!我可高兴啦,我要一直保
lǎo shī zhōng yú lǐ wǒ le　wǒ kě gāo xìng la wǒ yào yì zhí bǎo

持,做一个好孩子!
chí zuò yí ge hǎo hái zi

为什么好
wèi shén me hǎo

tiáo pí de xiǎo nán hái shàng kè dòng lái dòng qù lǎo shī shēng qì le
调皮的小男孩上课动来动去,老师生气了:
bù lǐ nǐ le xiǎo zuò zhě bǎ lǎo shī bù lǐ zì jǐ hòu de nà zhǒng jǐn
不理你了! 小作者把老师不理自己后的那种紧
zhāng wěi qu yǐ jí àn àn jiào jìn de biǎo xiàn jí xiǎng fǎ xiě de shí fēn
张、委屈以及暗暗较劲的表现及想法写得十分
zhēn shí ér jù tǐ dú le wén zhāng zhè jiàn shì jiù xiàng fā shēng zài wǒ
真实而具体,读了文章,这件事就像发生在我
men zì jǐ shēn shang shì de
们自己身上似的。

好在哪里……
hǎo zài nǎ li

dāng lǎo shī shuō bù lǐ nǐ le wǒ shì shén me yàng de fǎn yìng
当老师说"不理你了","我"是什么样的反应?
yòu shì zěn me zuò zěn me xiǎng de yòng huà chu yǒu guān jù zi
又是怎么做、怎么想的? 用"~~~"画出有关句子。

gǎn bái é
5. 赶白鹅

好的习作
hǎo de xí zuò

chí táng biān yǒu yì qún bái é zài xì shuǐ wǒ xiǎng hé tā men yì qǐ
池塘边有一群白鹅在戏水,我想和它们一起

玩，就悄悄向鹅群走近，可还是给它们发现了。它们立刻大叫起来，排着队朝水里跑，好像是抗议我闯入它们的领地。突然一只大白鹅转过身来，伸长了脖子叫着向我冲过来，像是要和我决斗。我有点害怕了，傻傻地站在那儿，不知道该怎么办。这时爸爸妈妈、叔叔阿姨都来了，大概是看我们人多，大白鹅就转身逃跑了。

为什么好

　　小作者原本想和一群白鹅玩，没想到惊吓到了它们。小作者抓住鹅的动作，把白鹅受惊的样子和一只要和我决斗的白鹅描写得十分生动。

好在哪里……

　　1. 用"——"画出描写向"我"冲过来的那只大白鹅的句子。

2. 用"﹏﹏"画出表现"我"害怕的句子。

6. 敲门

好的习作

晚上，我正在练书法，妈妈在看书，家里静静的。

忽然听到"咚咚咚咚"，"咚咚咚咚"，连续不断的敲门声，我连忙跑过去大声问："哪一个?"妈妈一把拉住我，把食指竖在嘴唇前面，神秘兮兮地小声说："嘘——，你过来看看就知道了。"我轻手轻脚地走过去，到门口一看，乐了：原来，刚买来不久的两只鸭子没事干，正不住地啄着板凳腿，"咚咚咚咚"，"咚咚咚咚"，就像敲门声一样。你们这两个小调皮，差点儿上了你们的当!

^{wèi shén me hǎo} 为什么好

在这篇短短的文章里,流露出小作者对小鸭子的喜爱之情,他抓住了"咚咚咚咚"的声音,描写了小鸭给他带来的快乐。小作者善于抓住小事做文章,是值得我们学习的。

^{hǎo zài nǎ li} 好在哪里……

用"～～"画出妈妈的动作、表情和说的话。你能根据这段话,学着妈妈的样子表演一下吗?请爸爸妈妈给你打个分,看你表演得像不像。

7. ^{jiè huā} 借 花

^{hǎo de xí zuò} 好的习作

下午,快要放学了,我打开铅笔盒,发现今天没

114

有得到花。爸爸、妈妈可是要求我每天至少得一朵花的呀,这可怎么办呢?这时,我听到旁边的汪书亦开心地在跟孙思文说:"我今天得了四朵花。"我灵机一动,笑嘻嘻地对汪书亦说:"能不能借我一朵花,明天就还给你。"汪书亦爽快地说:"好!"马上从铅笔盒里拿出了一朵花递给我。

这下,回家可以交差啰!我高兴地把花收进铅笔盒里。明天一定要争取多得花还给汪书亦。

为什么好

读了文章,一个有上进心,还会哄爸爸妈妈高兴的小调皮出现了。小作者把自己借花的过程写得十分清楚,特别是对人物的态度、表情描写得十分具体。可贵的是他能把这件事记录了下来,让我们分享到了这样有趣的文章。

好在哪里……

"我"是如何借花的?用"——"画出有关句子,你

néng bǎ tā de yàng zi xué yí biàn ma　shì shi ba
能把他的样子学一遍吗? 试试吧!

gǎi　　míng
8. 改 名

hǎo de xí zuò
好的习作

xià kè le wǒ dào bàn gōng shì kàn fēn shù　lǎo shī xiào zhe shuō　nǐ
下课了,我到办公室看分数。老师笑着说:"你
zhè cì kǎo de tǐng hǎo de zhǐ kòu le yì fēn　rú guǒ bǎ jù zi huà quán le
这次考得挺好的,只扣了一分。如果把句子画全了
jiù shì mǎn fēn　hài zhēn kě xī　yáo yáo tū rán xiào zhe shuō　chén jìng
就是满分。"嗨,真可惜! 尧尧突然笑着说:"陈敬
wén nǐ zhǐ xiě le chén jìng liǎng ge zì　wǒ bù xiāng xìn còu guo qu yí
雯,你只写了陈敬两个字。"我不相信,凑过去一
kàn guǒ zhēn shì zhǐ xiě le liǎng ge zì　zěn me huì zhè yàng ne　wǒ yǒu
看,果真是只写了两个字。怎么会这样呢? 我有
diǎn nán guò　yú lǎo shī xiào zhe shuō　nǐ mā ma jiào wáng jìng nǐ yě gǎi
点难过。俞老师笑着说:"你妈妈叫王静,你也改
jiào chén jìng le　yí ge jiě jie yí ge mèi mei wǒ gǎn dào hěn hǎo wán
叫陈敬了。一个姐姐,一个妹妹。"我感到很好玩,
zhuǎn guò shēn tōu tōu de xiào le
转过身,偷偷地笑了。

wèi shén me hǎo
为什么好

xiǎo zuò zhě shì ge yào hǎo de hái zi kǎo wán shì jiù qù kàn fēn shù zhè
小作者是个要好的孩子,考完试就去看分数,这
yí kàn jū rán kàn chu le yì piān xiǎo zuò wén　nǐ kàn yí jiàn xiǎo xiǎo de
一看,居然看出了一篇小作文。你看,一件小小的

^{shì zhǐ yào nǐ yòng xīn jiù kě yǐ bǎ tā xiě xia lai}
事，只要你用心，就可以把它写下来。

^{hǎo zài nǎ li}
好在哪里……

^{tīng le yáo yáo de huà wǒ shì zěn me zuò de zěn me xiǎng de yǒu shén}
听了尧尧的话，我是怎么做的、怎么想的、有什

^{me gǎn shòu ne yòng huà chu yǒu guān jù zi}
么感受呢？用"——"画出有关句子。

^{gěi dōng guā tí zì}
9. 给冬瓜题字

^{hǎo de xí zuò}
好的习作

^{xiě wán máo bǐ zì wǒ zhǔn bèi dào hé biān xǐ bǐ zǒu dào cháng}
写完毛笔字，我准备到河边洗笔。走到场

^{yuàn kàn jiàn dì shang yǒu xǔ duō guā téng téng shang kāi zhe jǐ duǒ xiǎo huáng}
院，看见地上有许多瓜藤，藤上开着几朵小黄

^{huā zhè shì shén me ne wǒ zǒu jìn yí kàn zhǐ jiàn yí ge dà dōng guā tǎng}
花。这是什么呢？我走近一看，只见一个大冬瓜躺

^{zài cǎo cóng zhōng tā cū cū de yāo cháng cháng de shēn tǐ chuān zhe mò}
在草丛中，它粗粗的腰，长长的身体，穿着墨

^{lǜ sè de yī shang zhēn kě ài wǒ líng jī yí dòng ná qǐ bǐ zài shàng}
绿色的衣裳，真可爱！我灵机一动，拿起笔，在上

^{mian tí le sì ge dà zì dōng guā tài láng dé yì de qiān shang zì jǐ}
面题了四个大字——冬瓜太郎，得意地签上自己

^{de dà míng wǒ zhàn zài yì biān xīn shǎng zhe zì jǐ de jié zuò zhǐ tīng jiàn}
的大名。我站在一边欣赏着自己的杰作，只听见

^{kā cā yì shēng bà ba gěi wǒ liú xia le yǒng jiǔ de jì niàn}
"咔嚓"一声，爸爸给我留下了永久的纪念。

为什么好
wèi shén me hǎo

　　wú yì zhōng fā xiàn le yí ge dà dōng guā tiáo pí de xiǎo nán hái zài
无意中发现了一个大冬瓜,调皮的小男孩在
shàng mian yòng máo bǐ xiě le jǐ ge zì bà ba wèi tā pāi le yì zhāng
上面用毛笔写了几个字,爸爸为他拍了一张
zhào piàn jiù zhè me jiǎn dān de shì xiǎo zuò zhě méi yǒu fàng guò suí shǒu bǎ
照片。就这么简单的事,小作者没有放过,随手把
tā jì le xia lai shì bu shì tǐng hǎo wán de
它记了下来,是不是挺好玩的?

好在哪里……
hǎo zài nǎ li

118

yòng huà chu dōng guā de yàng zi zài dú yi dú
1. 用"﹏﹏"画出冬瓜的样子,再读一读。
wǒ kàn zhe kě ài de dà dōng guā zuò le shén me yòng
2. "我"看着可爱的大冬瓜,做了什么?用"——"
huà chu yǒu guān nèi róng
画出有关内容。

tī qiú
10. 踢"球"

好的习作
hǎo de xí zuò

dà yuàn li jǐ ge xiǎo péng yǒu zhèng zài tī qiú hū rán qiú xiàng fèi
大院里,几个小朋友正在踢球,忽然,球向费

文达滚来。费文达向前跑了两步,使足了全身的力气,对准球猛地一踢。你猜怎么啦?只见那球慢慢地滚到了一边,一样东西从他的脚上腾空飞起,"啪"的一声落在了地上。仔细一看,离费文达三四米的地方,有一只鞋。原来,费文达用力过猛,把鞋子踢飞啦!大家忍不住大笑起来,笑得前仰后合。

为什么好

小作者的观察力比较敏锐,捕捉住了瞬间的镜头加以描述。费文达使足了全身的力气去踢球,一样东西腾空飞起,这应该是那只球了,可大家看到的却是一只鞋,由此产生了戏剧性的效果。但作者并没有忘记那只慢慢滚动的球,这一点是非常可贵的。

好在哪里……

用"——"画出费文达踢球的样子。

11. 洗澡
xǐ zǎo

"丁零零……"电话铃响了,妈妈要去接电话,
dīng líng líng　　diàn huà líng xiǎng le　mā ma yào qù jiē diàn huà

叫我自己擦肥皂洗澡。
jiào wǒ zì jǐ cā féi zào xǐ zǎo

我用一块洁白的香水肥皂在身上不停地
wǒ yòng yí kuài jié bái de xiāng shuǐ féi zào zài shēn shang bù tíng de

擦,身上滑溜溜的,净是白沫沫。肥皂好像跟我
cā shēn shang huá liū liū de jìng shì bái mò mo　féi zào hǎo xiàng gēn wǒ

玩捉迷藏,总是"躲"到水里。一会儿工夫,一盆清
wán zhuō mí cáng zǒng shì duǒ dào shuǐ li　yí huì er gōng fu　yì pén qīng

水就变成了一盆"牛奶"。我用毛巾吸足水,往
shuǐ jiù biàn chéng le yì pén niú nǎi　wǒ yòng máo jīn xī zú shuǐ wǎng

身上拖,这下身上的沫沫更多了。我蹲下身
shēn shang tuō zhè xià shēn shang de mò mo gèng duō le　wǒ dūn xia shēn

子,两手捧起沫沫,放在肚皮上,双手不停地
zi liǎng shǒu pěng qi mò mo fàng zài dù pí shang shuāng shǒu bù tíng de

挤压,肚皮上发出了"哼哼"的声音,真像小猪在
jǐ yā dù pí shang fā chū le hēng hēng de shēng yīn zhēn xiàng xiǎo zhū zài

吃猪食,多有意思啊!
chī zhū shí duō yǒu yì si a

妈妈打了十几分钟电话,回到浴室一看,乐了:
mā ma dǎ le shí jǐ fēn zhōng diàn huà huí dào yù shì yí kàn lè le

"哪边是个人啊?简直是只北极熊!"
nǎ biān shì ge rén a　jiǎn zhí shì zhī běi jí xióng

120

为什么好

wèi shén me hǎo

xià tiān wǒ men tiān tiān yào xǐ zǎo zhè shì hěn píng cháng de shì kě
夏天，我们天天要洗澡，这是很平常的事，可
xiǎo zuò zhě què néng gòu fā xiàn qí zhōng de bù tóng zì xún lè qù wán de
小作者却能够发现其中的不同，自寻乐趣，玩得
jīn jīn yǒu wèi wán féi zào wán mò mo wán de dù pí hēng hēng xiǎng wán
津津有味：玩肥皂、玩沫沫、玩得肚皮"哼哼"响，玩
de quán shēn shì pào mò wán chū le yì piān yǒu qù de wén zhāng duō yǒu yì
得全身是泡沫，玩出了一篇有趣的文章，多有意
sī a
思啊！

好在哪里……

hǎo zài nǎ li

wǒ shì rú hé wán féi zào mò mo de yòng huà chū wén zhōng
"我"是如何玩肥皂沫沫的？用"——"画出文中
de yǒu guān jù zi
的有关句子。

lǐ wù
12. 礼 物

好的习作

hǎo de xí zuò

jīn tiān shì jiào shī jié zǎo shang wǒ gāng zǒu dào mò gān lù jiù tīng
今天是教师节，早上，我刚走到莫干路，就听

121

见从校园里传来优美的歌声。我立刻冲进教室，同学们都忙着找老师去了，班上只有几个人。我放下书包，从门后拿起拖把就拖地。一会儿，俞老师来了，她身边围着好多同学。俞老师看见了我，走到我身边，一脸灿烂，对着我轻轻地说了一句："这才是最好的礼物！"接着，我的小屁屁上挨了老师的一巴掌。我摸了摸，开心地笑了。

⊚ 为什么好

教师节到了，同学们都会把自己精心准备好的礼物在一大早送给老师，而小作者和平常一样，拿着拖把拖地。小作者抓住了老师对她的表扬和亲昵的动作，细腻地表达了自己对老师的那份不易觉察的爱。

⊚ 好在哪里……

俞老师看见了"我"，对"我"说了些什么、做了什么？用"～～～"画出来，再读一读。

13. 妈妈带回的礼物

mā ma dài huí de lǐ wù

好的习作
hǎo de xí zuò

今天，我非常高兴，因为妈妈从秦皇岛回来了。妈妈送给我许多礼物：有贝壳、螺，还有无花果、鱼片。我高兴地说："谢谢妈妈。"

桌子上有许多我从来没见过的奇形怪状的螺，我伸手就去拿。"哎哟——"我的手好像被螺咬了一口，疼得大叫起来，马上就把手缩了回来。仔细一看，原来是一个身上长着刺，后面还有一根长尾巴的螺。我小心地捏住它的尾巴，自言自语地说："我还以为你是活的呢！"妈妈笑着告诉我，这是蜻蜓螺。我仔细一看：嘿！样子还真像蜻蜓！

123

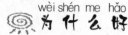 为什么好

妈妈从秦皇岛带给"我"许多礼物,小作者兴奋得迫不及待地去拿,没有想到却被螺"咬"了一口。文章抓住了自己被"咬"的感觉,真实而生动地把"我"被"咬"的经过展示给读者。

好在哪里……

124

1. 用"～～"画出"我"第一次去拿螺的经过,再好好读一读,想想"我"为什么会大叫起来。

2. 下面的描写分别写出了什么?用线连起来。

"哎哟——"   "我"的感觉

"好像被螺咬了一口"   "我"的动作

"马上就把手缩了回来"   "我"叫的声音

14. 抢　糖

xià kè le　wǒ gāng chū jiào shì mén　fā xiàn cāo chǎng shang wéi zhe hǎo duō
下课了,我 刚 出 教室 门,发 现 操场 上 围着 好 多

rén　yí wèi wài jiào zhèng zài xiàng kōng zhōng pāo táng guǒ wǔ yán liù sè de
人。一位 外教 正 在 向 空 中 抛 糖果,五颜六色 的

táng guǒ hǎo xiàng yì duǒ duǒ shèng kāi de　lǐ huā　tóng xué men lì kè xiàng táng
糖果 好 像 一 朵 朵 盛 开 的 礼花。同学们 立刻 向 糖

fēi de fāng xiàng pǎo qu　yǒu de tiào de lǎo gāo qiǎng luò xia lai de táng guǒ yǒu
飞 的 方 向 跑去,有 的 跳 得 老 高 抢 落 下 来 的 糖果;有

de jǔ zhe shuāng shǒu jiào zhe　yǒu de máng zhe wān xia yāo jiǎn táng guǒ　　wǒ
的 举着 双 手 叫着;有的 忙着 弯 下 腰 捡糖果……我

mǎ shàng chōng le guo qu　zhèng qiǎo　yì kē táng xiàng wǒ fēi lai wǒ shēn shǒu
马 上 冲 了 过去。正 巧,一颗 糖 向 我 飞来,我 伸手

jiù qù zhuā yǎn kàn jiù yào jiē dào le　shéi zhī wǒ méi yǒu zhàn wěn shēn tǐ yì
就 去 抓,眼 看 就 要 接 到 了,谁知,我 没有 站 稳,身体 一

wāi táng guǒ diào zài le wǒ de jiǎo xià　jǐ ge tóng xué xiàng wǒ yǒng lai wǒ
歪,糖果 掉 在 了 我 的 脚下。几个 同学 向 我 涌来,我

jiù dì yì dūn yì bǎ zhuā zhù le zhè kē táng
就地 一 蹲,一 把 抓住 了 这 颗 糖。

cāo chǎng shang tóng xué men jiào zhe xiào zhe pǎo zhe　yí gè ge dōu chéng
操场 上,同学们 叫着、笑着、跑着,一个个 都 成

le kuài lè de xiǎo niǎo
了 快乐 的 小 鸟。

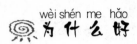

为什么好
wèi shén me hǎo

小作者抓住了课间特别的一幕:外教给孩子们
xiǎo zuò zhě zhuā zhù le kè jiān tè bié de yí mù wài jiào gěi hái zi men

撒糖果,把同学们和自己抢糖果的快乐描写得十
sǎ táng guǒ bǎ tóng xué men hé zì jǐ qiǎng táng guǒ de kuài lè miáo xiě de shí

分生动。
fēn shēng dòng

好在哪里……
hǎo zài nǎ li

1. 外教向空中抛糖果,同学们是什么样的
wài jiào xiàng kōng zhōng pāo táng guǒ tóng xué men shì shén me yàng de

表现?用"——"画出有关句子。
biǎo xiàn yòng huà chū yǒu guān jù zi

2. 如果你也在操场上抢糖果,你会叫些什
rú guǒ nǐ yě zài cāo chǎng shang qiǎng táng guǒ nǐ huì jiào xiē shén

么?仔细想一想,再写下来。
me zǎi xì xiǎng yi xiǎng zài xiě xia lai

"　　　　　　　　　　" "

....

"

....

15. 捉尾巴

好的习作

"噻——"哨子一响，捉尾巴游戏开始了。小朋友们一窝蜂地跑到了操场中间。大家一手护着自己身后的小尾巴，一手伸向前面，随时准备捉别人的尾巴。

我躲在外围，看见杨婵和孙田正撅着屁股互相捉尾巴。我悄悄地跑到杨婵身后，趁她不注意，手一伸，哈哈，捉到一条小尾巴啦！我飞快地冲到孙田后面，猛地一拽，又是一条！两条尾巴到手了！我正在得意，突然觉得裤腰被人拉了一下，回头一看：惨了，自己的尾巴没保护好，被人取走了。

我只好拿着两条尾巴退出了游戏。

127

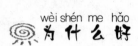

xiǎo zuò zhě hěn qiǎo miào de bǎ yóu xì de guī zé zài yóu xì zhōng tǐ xiàn
小 作 者 很 巧 妙 地 把 游 戏 的 规 则 在 游 戏 中 体 现
le chu lai tā jī zhì de zhuō dào le liǎng tiáo wěi ba què yīn wèi dé yì ér
了 出 来,他 机 智 地 捉 到 了 两 条 尾 巴,却 因 为 得 意 而
diū shī le zì jǐ de wěi ba　zhěng piān wén zhāng de jié zòu hěn kuài jǐ ge
丢 失 了 自 己 的 尾 巴。整 篇 文 章 的 节 奏 很 快,几 个
dòng zuò dōu shì zài shùn jiān wán chéng de　yǔ yán jiǎn jié ér míng kuài zhí dé
动 作 都 是 在 瞬 间 完 成 的,语 言 简 洁 而 明 快,值 得
xué xí
学 习。

hǎo zài nǎ li
好 在 哪 里……

wǒ shì zěn yàng zhuō bié rén de wěi ba de　yòng　huà chu yǒu
1.“我”是 怎 样 捉 别 人 的 尾 巴 的? 用“——”画 出 有
guān jù zi
关 句 子。

wǒ de wěi ba shì zěn me diū de　yòng　huà chu yǒu guān
2.“我”的 尾 巴 是 怎 么 丢 的? 用“~~~”画 出 有 关
jù zi
句 子。

16. 吃口香糖

🌀 **好的习作**
hǎo de xí zuò

今天,我们去中山植物博览园玩。中午吃饭
jīn tiān wǒ men qù zhōng shān zhí wù bó lǎn yuán wán zhōng wǔ chī fàn

的时候,我看见俞老师在给同学们发口香糖,我跑
de shí hou wǒ kàn jiàn yú lǎo shī zài gěi tóng xué men fā kǒu xiāng táng wǒ pǎo

过去也要了一片。俞老师神秘地把口香糖塞进我
guo qu yě yào le yí piàn yú lǎo shī shén mì de bǎ kǒu xiāng táng sāi jìn wǒ

的上衣口袋里,低声说:"放好,别让人发现,回家再
de shàng yī kǒu dai li dī shēng shuō fàng hǎo bié ràng rén fā xiàn huí jiā zài

吃。"我躲到一边,忍不住掏出来,撕开包装纸,迫不
chī wǒ duǒ dào yì biān rěn bu zhù tāo chu lai sī kāi bāo zhuāng zhǐ pò bù

及待地把口香糖塞到嘴里。我嚼了嚼,咦,怎么回
jí dài de bǎ kǒu xiāng táng sāi dào zuǐ li wǒ jiáo le jiáo yí zěn me huí

事?甜甜的、酸酸的,一咬就断了,一点咬劲都没有,
shì tián tián de suān suān de yì yǎo jiù duàn le yì diǎn yǎo jìn dōu méi yǒu

这是什么口香糖?我急忙打开包装纸一看,原
zhè shì shén me kǒu xiāng táng wǒ jí máng dǎ kāi bāo zhuāng zhǐ yí kàn yuán

来是枣片!哼,俞老师在骗我!
lái shì zǎo piàn hēng yú lǎo shī zài piàn wǒ

🌀 **为什么好**
wèi shén me hǎo

馋嘴的小作者被老师忽悠了一回,忽悠出了一
chán zuǐ de xiǎo zuò zhě bèi lǎo shī hū you le yì huí hū you chu le yì

piān yǒu qù de wén zhāng xiǎo zuò zhě yòng liú chàng de yǔ yán bǎ zì jǐ shàng
篇有趣的文章。小作者用流畅的语言把自己上

dàng de jīng guò miáo xiě de shí fēn qīng chu nǐ kàn duǒ rěn bu zhù pò bù
当的经过描写得十分清楚。你看,"躲、忍不住、迫不

jí dài de sāi zhè xiē cí yǔ bǎ tā de chán jìn er biǎo xiàn de shí fēn jù
及待地塞"这些词语把他的馋劲儿表现得十分具

tǐ wén zhāng de zuì hòu yí jù zì rán de bǎ xiǎo nán hái de kě ài yǐ jí
体。文章的最后一句,自然地把小男孩的可爱以及

yǔ lǎo shī de qīn mì guān xì tǐ xiàn chu lai le
与老师的亲密关系体现出来了。

hǎo zài nǎ li
好在哪里……

wǒ yào kǒu xiāng táng shí yú lǎo shī shì zěn me zuò de duì wǒ shuō
1. "我"要口香糖时,俞老师是怎么做的? 对我说

le shén me yòng huà chu yǒu guān jù zi
了什么? 用"﹏﹏"画出有关句子。

wǒ chī dào zuǐ li de kǒu xiāng táng shì shén me yàng de gǎn jué
2. "我"吃到嘴里的口香糖是什么样的感觉?

yòng huà chu yǒu guān jù zi
用"——"画出有关句子。

huǒ lóng guǒ
17. 火龙果

hǎo de xí zuò
好的习作

kàn qiú bà ba bǎ yí ge hóng sè de qiú rēng le guo lai wǒ gǎn jǐn
"看球!"爸爸把一个红色的球扔了过来,我赶紧

用双手接住了球。哇!是个火龙果耶,好圆啊!爸爸把火龙果的肚皮扒开,露出了圆圆的果实,红艳艳的,像一朵盛开的红玫瑰。爸爸左一刀,右一刀,把火龙果切成八瓣。这么诱人的火龙果一定很好吃。我迫不及待地拿起一片送进嘴里,甜甜的,和平常吃的不一样。我走到镜子前面一看,呀,我的牙齿、舌头和嘴唇都红了。如果妈妈吃了,不是可以不用口红了吗?

告诉你,这可是西双版纳的火龙果哟!

⊚ 为什么好

一个火龙果,在小作者的眼里居然那么有趣,你看,可以玩,可以吃,还可以当口红。言语中透着天真,真可爱!

⊚ 好在哪里……

1. 剥开皮的火龙果是什么样子?用"～～～"画出

yǒu guān jù zi
有关 句子。

wǒ zhào jìng zi shí kàn dào le shén me   xiǎng dào le shén me   yòng
2. "我"照 镜 子 时 看 到 了 什 么？想 到 了 什 么？用

huà chu lai
"——"画 出 来。

tōu chī jī
18. 偷吃鸡

hǎo de xí zuò
好 的 习作

shàng wǔ wǒ zhèng zài xiě zuò yè   yì gǔ xiāng wèi pū bí ér
上 午，我 正 在 写 作 业。一 股 香 味 扑 鼻 而

lái wǒ mǎ shàng gǎn dào dù zi è le biàn rěn bu zhù tuō xia xié zi
来，我 马 上 感 到 肚 子 饿 了，便 忍 不 住 脱 下 鞋 子，

pá dào le yǐ zi shang dǎ kāi wǎn chú mén zhè shí xiāng wèi gèng nóng
爬 到 了 椅 子 上，打 开 碗 橱 门，这 时，香 味 更 浓

le wǒ shēn cháng le bó zi zhǐ jiàn qì guō lǐ mian shì yì zhī gāng
了。我 伸 长 了 脖 子，只 见 气 锅 里 面 是 一 只 刚

zhēng hǎo de xiǎo gōng jī hái mào rè qì ne wǒ de kǒu shuǐ yí xià zi
蒸 好 的 小 公 鸡，还 冒 热 气 呢！我 的 口 水 一 下 子

duō le gǎn máng wǎng xià yàn wǒ ná qi sháo zi zài lǐ mian fān lái
多 了，赶 忙 往 下 咽。我 拿 起 勺 子，在 里 面 翻 来

fān qù xiǎng zhǎo nèi zàng chī kě jiù shì zhǎo bu dào hū rán cóng shēn
翻 去，想 找 内 脏 吃，可 就 是 找 不 到。忽 然，从 身

hòu chuán lai le mā ma de shēng yīn gěi nǐ chán māo wǒ zhuàn guò
后 传 来 了 妈 妈 的 声 音："给 你，馋 猫！"我 转 过

shēn zi yí kàn mā ma zhèng bǎ yì shuāng kuài zi dì gěi wǒ wǒ liè
身 子 一 看，妈 妈 正 把 一 双 筷 子 递 给 我。我 咧

kāi zuǐ xiào le xiào jiē guò kuài zi huí guò tóu jì xù fān nèi zàng

开嘴笑了笑，接过筷子，回过头，继续翻内脏。

wèi shén me hǎo
为什么好

xiǎo zuò zhě xuǎn qǔ de shì zì jǐ shēng huó zhōng de yí ge xiǎo chǎng
小作者选取的是自己生活中的一个小场

jǐng tōu chī jī de nà ge piàn kè dú le wén zhāng wǒ men yǎn qián shì bu shì
景：偷吃鸡的那个片刻。读了文章我们眼前是不是

kàn dào le yí ge chán zuǐ de hái zi zhèng zhàn zài yǐ zi shang yàn zhe kǒu
看到了一个馋嘴的孩子正站在椅子上咽着口

shuǐ yǎn jing jǐn dīng zhe wǎn chú li nà chōng mǎn xiāng wèi de xiǎo gōng jī zhèng
水，眼睛紧盯着碗橱里那充满香味的小公鸡，正

zhuān xīn de fān zhǎo de qíng jǐng kě guì de shì xiǎo zuò zhě zhuā zhù le zhè duǒ
专心地翻找的情景？可贵的是，小作者抓住了这朵

shēng huó zhōng de xiǎo làng huā bìng bǎ tā xiě de hěn shēng dòng
生活中的小浪花，并把它写得很生动。

133

hǎo zài nǎ li
好在哪里……

kàn dào le qì guō li nà zhī gāng zhēng hǎo de hái mào zhe rè qì de
看到了气锅里那只刚蒸好的，还冒着热气的

xiǎo gōng jī wǒ yǒu shén me fǎn yìng zuò le xiē shén me yòng huà
小公鸡，"我"有什么反应？做了些什么？用"～～"画

chū yǒu guān jù zi
出有关句子。

19. <ruby>逛<rt>guàng</rt></ruby><ruby>超<rt>chāo</rt></ruby><ruby>市<rt>shì</rt></ruby>

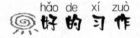
好的习作 hǎo de xí zuò

<ruby>今<rt>jīn</rt></ruby><ruby>天<rt>tiān</rt></ruby><ruby>下<rt>xià</rt></ruby><ruby>午<rt>wǔ</rt></ruby>,<ruby>我<rt>wǒ</rt></ruby><ruby>们<rt>men</rt></ruby><ruby>去<rt>qù</rt></ruby><ruby>超<rt>chāo</rt></ruby><ruby>市<rt>shì</rt></ruby><ruby>买<rt>mǎi</rt></ruby><ruby>东<rt>dōng</rt></ruby><ruby>西<rt>xi</rt></ruby>。<ruby>我<rt>wǒ</rt></ruby><ruby>正<rt>zhèng</rt></ruby><ruby>在<rt>zài</rt></ruby><ruby>看<rt>kàn</rt></ruby><ruby>货<rt>huò</rt></ruby><ruby>架<rt>jià</rt></ruby><ruby>上<rt>shang</rt></ruby><ruby>的<rt>de</rt></ruby><ruby>东<rt>dōng</rt></ruby><ruby>西<rt>xi</rt></ruby>。<ruby>一<rt>yí</rt></ruby><ruby>位<rt>wèi</rt></ruby><ruby>阿<rt>ā</rt></ruby><ruby>姨<rt>yí</rt></ruby><ruby>走<rt>zǒu</rt></ruby><ruby>到<rt>dào</rt></ruby><ruby>我<rt>wǒ</rt></ruby><ruby>身<rt>shēn</rt></ruby><ruby>边<rt>biān</rt></ruby>,<ruby>她<rt>tā</rt></ruby><ruby>手<rt>shǒu</rt></ruby><ruby>上<rt>shang</rt></ruby><ruby>拿<rt>ná</rt></ruby><ruby>着<rt>zhe</rt></ruby><ruby>智<rt>zhì</rt></ruby><ruby>力<rt>lì</rt></ruby><ruby>拼<rt>pīn</rt></ruby><ruby>图<rt>tú</rt></ruby><ruby>和<rt>hé</rt></ruby><ruby>一<rt>yí</rt></ruby><ruby>袋<rt>dài</rt></ruby><ruby>食<rt>shí</rt></ruby><ruby>品<rt>pǐn</rt></ruby>,<ruby>满<rt>mǎn</rt></ruby><ruby>脸<rt>liǎn</rt></ruby><ruby>笑<rt>xiào</rt></ruby><ruby>容<rt>róng</rt></ruby><ruby>地<rt>de</rt></ruby><ruby>对<rt>duì</rt></ruby><ruby>我<rt>wǒ</rt></ruby><ruby>说<rt>shuō</rt></ruby>:"<ruby>小<rt>xiǎo</rt></ruby><ruby>朋<rt>péng</rt></ruby><ruby>友<rt>yǒu</rt></ruby>,<ruby>买<rt>mǎi</rt></ruby><ruby>满<rt>mǎn</rt></ruby>12<ruby>元<rt>yuán</rt></ruby>'<ruby>乖<rt>guāi</rt></ruby><ruby>乖<rt>guāi</rt></ruby>'<ruby>食<rt>shí</rt></ruby><ruby>品<rt>pǐn</rt></ruby>,<ruby>可<rt>kě</rt></ruby><ruby>以<rt>yǐ</rt></ruby><ruby>赠<rt>zèng</rt></ruby><ruby>一<rt>yí</rt></ruby><ruby>个<rt>ge</rt></ruby><ruby>智<rt>zhì</rt></ruby><ruby>力<rt>lì</rt></ruby><ruby>拼<rt>pīn</rt></ruby><ruby>图<rt>tú</rt></ruby>。"<ruby>我<rt>wǒ</rt></ruby><ruby>看<rt>kàn</rt></ruby><ruby>了<rt>le</rt></ruby><ruby>看<rt>kàn</rt></ruby><ruby>妈<rt>mā</rt></ruby><ruby>妈<rt>ma</rt></ruby>,<ruby>没<rt>méi</rt></ruby><ruby>说<rt>shuō</rt></ruby><ruby>话<rt>huà</rt></ruby>。<ruby>这<rt>zhè</rt></ruby><ruby>时<rt>shí</rt></ruby>,<ruby>阿<rt>ā</rt></ruby><ruby>姨<rt>yí</rt></ruby><ruby>像<rt>xiàng</rt></ruby><ruby>变<rt>biàn</rt></ruby><ruby>魔<rt>mó</rt></ruby><ruby>术<rt>shù</rt></ruby><ruby>似<rt>shì</rt></ruby><ruby>的<rt>de</rt></ruby><ruby>从<rt>cóng</rt></ruby><ruby>拼<rt>pīn</rt></ruby><ruby>图<rt>tú</rt></ruby><ruby>下<rt>xià</rt></ruby><ruby>面<rt>mian</rt></ruby><ruby>拿<rt>ná</rt></ruby><ruby>出<rt>chu</rt></ruby><ruby>了<rt>le</rt></ruby><ruby>垫<rt>diàn</rt></ruby><ruby>字<rt>zì</rt></ruby><ruby>板<rt>bǎn</rt></ruby><ruby>盯<rt>dīng</rt></ruby><ruby>着<rt>zhe</rt></ruby><ruby>我<rt>wǒ</rt></ruby><ruby>说<rt>shuō</rt></ruby>:"<ruby>还<rt>hái</rt></ruby><ruby>送<rt>sòng</rt></ruby><ruby>一<rt>yí</rt></ruby><ruby>块<rt>kuài</rt></ruby><ruby>垫<rt>diàn</rt></ruby><ruby>字<rt>zì</rt></ruby><ruby>板<rt>bǎn</rt></ruby>。"<ruby>我<rt>wǒ</rt></ruby><ruby>看<rt>kàn</rt></ruby><ruby>着<rt>zhe</rt></ruby><ruby>有<rt>yǒu</rt></ruby><ruby>趣<rt>qù</rt></ruby><ruby>的<rt>de</rt></ruby><ruby>拼<rt>pīn</rt></ruby><ruby>图<rt>tú</rt></ruby>、<ruby>鲜<rt>xiān</rt></ruby><ruby>艳<rt>yàn</rt></ruby><ruby>的<rt>de</rt></ruby><ruby>垫<rt>diàn</rt></ruby><ruby>字<rt>zì</rt></ruby><ruby>板<rt>bǎn</rt></ruby>,<ruby>有<rt>yǒu</rt></ruby><ruby>点<rt>diǎn</rt></ruby><ruby>儿<rt>er</rt></ruby><ruby>动<rt>dòng</rt></ruby><ruby>心<rt>xīn</rt></ruby><ruby>了<rt>le</rt></ruby>。<ruby>不<rt>bù</rt></ruby><ruby>知<rt>zhī</rt></ruby><ruby>怎<rt>zěn</rt></ruby><ruby>么<rt>me</rt></ruby><ruby>的<rt>de</rt></ruby>,<ruby>我<rt>wǒ</rt></ruby><ruby>的<rt>de</rt></ruby><ruby>脚<rt>jiǎo</rt></ruby><ruby>不<rt>bù</rt></ruby><ruby>由<rt>yóu</rt></ruby><ruby>自<rt>zì</rt></ruby><ruby>主<rt>zhǔ</rt></ruby><ruby>地<rt>de</rt></ruby><ruby>跟<rt>gēn</rt></ruby><ruby>着<rt>zhe</rt></ruby><ruby>阿<rt>ā</rt></ruby><ruby>姨<rt>yí</rt></ruby><ruby>走<rt>zǒu</rt></ruby>,<ruby>好<rt>hǎo</rt></ruby><ruby>像<rt>xiàng</rt></ruby><ruby>阿<rt>ā</rt></ruby><ruby>姨<rt>yí</rt></ruby><ruby>身<rt>shēn</rt></ruby><ruby>上<rt>shang</rt></ruby><ruby>有<rt>yǒu</rt></ruby><ruby>磁<rt>cí</rt></ruby><ruby>力<rt>lì</rt></ruby><ruby>一<rt>yí</rt></ruby><ruby>样<rt>yàng</rt></ruby>,<ruby>把<rt>bǎ</rt></ruby><ruby>我<rt>wǒ</rt></ruby><ruby>吸<rt>xī</rt></ruby><ruby>引<rt>yǐn</rt></ruby><ruby>了<rt>le</rt></ruby><ruby>过<rt>guo</rt></ruby><ruby>去<rt>qu</rt></ruby>。<ruby>我<rt>wǒ</rt></ruby><ruby>们<rt>men</rt></ruby><ruby>买<rt>mǎi</rt></ruby><ruby>了<rt>le</rt></ruby><ruby>一<rt>yí</rt></ruby><ruby>大<rt>dà</rt></ruby><ruby>堆<rt>duī</rt></ruby>"<ruby>乖<rt>guāi</rt></ruby><ruby>乖<rt>guāi</rt></ruby>"<ruby>食<rt>shí</rt></ruby><ruby>品<rt>pǐn</rt></ruby>,<ruby>拿<rt>ná</rt></ruby><ruby>了<rt>le</rt></ruby><ruby>拼<rt>pīn</rt></ruby><ruby>图<rt>tú</rt></ruby><ruby>和<rt>hé</rt></ruby><ruby>垫<rt>diàn</rt></ruby><ruby>字<rt>zì</rt></ruby><ruby>板<rt>bǎn</rt></ruby>,<ruby>高<rt>gāo</rt></ruby><ruby>高<rt>gāo</rt></ruby><ruby>兴<rt>xìng</rt></ruby><ruby>兴<rt>xìng</rt></ruby><ruby>地<rt>de</rt></ruby><ruby>继<rt>jì</rt></ruby><ruby>续<rt>xù</rt></ruby><ruby>购<rt>gòu</rt></ruby><ruby>物<rt>wù</rt></ruby>。

为什么好

小作者随妈妈在超市购物，正巧碰到促销的阿姨，他把阿姨促销的经过和自己被说动、不由自主随阿姨购物的情形描述得十分清楚，尤其是"不知怎么的，我的脚不由自主地跟着阿姨走，好像阿姨身上有磁力一样，把我吸引了过去"，真实自然地写出了自己当时的感觉。

好在哪里……

阿姨是怎么促销的？用"〜〜"画出有关内容，请你模仿阿姨的动作、语言，也向爸爸妈妈促销一次，你一定会很棒的！

20. 种大蒜头
zhòng dà suàn tóu

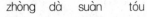
好的习作
hǎo de xí zuò

家里的大蒜头发芽了,发芽的大蒜头是不能吃
的。丢掉吧,太可惜了。我想了想,对,把大蒜头种
下去。

我找来了一个有许多格子的塑料盒子,把大蒜
头掰开,一个一个地放在格子里,浇上水,可大蒜头
总是要倒下来"睡觉",怎么办呢?有了!我一拍脑门,
到楼下弄来了木屑,放在盒子里,把大蒜头插入木
屑,再浇点水。果然,大蒜头个个挺直了腰板,不"睡
觉"了。

我把盒子放在阳台上,让大蒜头在阳光下
快快长大。妈妈炒菜时用上大蒜叶子,香喷喷
的,多好啊!想到这儿,我不由得笑了。

<ruby>为<rt>wèi</rt></ruby> <ruby>什<rt>shén</rt></ruby> <ruby>么<rt>me</rt></ruby> <ruby>好<rt>hǎo</rt></ruby>

<ruby>小<rt>xiǎo</rt></ruby> <ruby>作<rt>zuò</rt></ruby> <ruby>者<rt>zhě</rt></ruby> <ruby>是<rt>shì</rt></ruby> <ruby>个<rt>ge</rt></ruby> <ruby>热<rt>rè</rt></ruby> <ruby>爱<rt>ài</rt></ruby> <ruby>生<rt>shēng</rt></ruby> <ruby>活<rt>huó</rt></ruby> <ruby>的<rt>de</rt></ruby> <ruby>人<rt>rén</rt></ruby>，<ruby>他<rt>tā</rt></ruby> <ruby>善<rt>shàn</rt></ruby> <ruby>于<rt>yú</rt></ruby> <ruby>发<rt>fā</rt></ruby> <ruby>现<rt>xiàn</rt></ruby> <ruby>生<rt>shēng</rt></ruby> <ruby>活<rt>huó</rt></ruby> <ruby>中<rt>zhōng</rt></ruby> <ruby>细<rt>xì</rt></ruby> <ruby>小<rt>xiǎo</rt></ruby> <ruby>的<rt>de</rt></ruby> <ruby>事<rt>shì</rt></ruby> <ruby>情<rt>qíng</rt></ruby>，<ruby>并<rt>bìng</rt></ruby> <ruby>把<rt>bǎ</rt></ruby> <ruby>它<rt>tā</rt></ruby> <ruby>作<rt>zuò</rt></ruby> <ruby>为<rt>wéi</rt></ruby> <ruby>写<rt>xiě</rt></ruby> <ruby>作<rt>zuò</rt></ruby> <ruby>的<rt>de</rt></ruby> <ruby>材<rt>cái</rt></ruby> <ruby>料<rt>liào</rt></ruby>。<ruby>发<rt>fā</rt></ruby> <ruby>了<rt>le</rt></ruby> <ruby>芽<rt>yá</rt></ruby> <ruby>的<rt>de</rt></ruby> <ruby>大<rt>dà</rt></ruby> <ruby>蒜<rt>suàn</rt></ruby> <ruby>头<rt>tóu</rt></ruby> <ruby>在<rt>zài</rt></ruby> <ruby>作<rt>zuò</rt></ruby> <ruby>者<rt>zhě</rt></ruby> <ruby>的<rt>de</rt></ruby> <ruby>眼<rt>yǎn</rt></ruby> <ruby>里<rt>li</rt></ruby> <ruby>却<rt>què</rt></ruby> <ruby>是<rt>shì</rt></ruby> <ruby>个<rt>ge</rt></ruby> <ruby>宝<rt>bǎo</rt></ruby>，<ruby>总<rt>zǒng</rt></ruby> <ruby>要<rt>yào</rt></ruby> <ruby>倒<rt>dǎo</rt></ruby> <ruby>下<rt>xia</rt></ruby> <ruby>来<rt>lai</rt></ruby>"<ruby>睡<rt>shuì</rt></ruby> <ruby>觉<rt>jiào</rt></ruby>"<ruby>的<rt>de</rt></ruby> <ruby>大<rt>dà</rt></ruby> <ruby>蒜<rt>suàn</rt></ruby> <ruby>头<rt>tóu</rt></ruby> <ruby>在<rt>zài</rt></ruby> <ruby>他<rt>tā</rt></ruby> <ruby>的<rt>de</rt></ruby> <ruby>摆<rt>bǎi</rt></ruby> <ruby>弄<rt>nòng</rt></ruby> <ruby>下<rt>xià</rt></ruby> <ruby>挺<rt>tǐng</rt></ruby> <ruby>直<rt>zhí</rt></ruby> <ruby>了<rt>le</rt></ruby> <ruby>腰<rt>yāo</rt></ruby> <ruby>板<rt>bǎn</rt></ruby>。<ruby>这<rt>zhè</rt></ruby> <ruby>是<rt>shì</rt></ruby> <ruby>一<rt>yí</rt></ruby> <ruby>件<rt>jiàn</rt></ruby> <ruby>多<rt>duō</rt></ruby> <ruby>么<rt>me</rt></ruby> <ruby>了<rt>liǎo</rt></ruby> <ruby>不<rt>bu</rt></ruby> <ruby>起<rt>qǐ</rt></ruby> <ruby>的<rt>de</rt></ruby> <ruby>事<rt>shì</rt></ruby> <ruby>啊<rt>a</rt></ruby>！

<ruby>好<rt>hǎo</rt></ruby> <ruby>在<rt>zài</rt></ruby> <ruby>哪<rt>nǎ</rt></ruby> <ruby>里<rt>li</rt></ruby>……

"<ruby>我<rt>wǒ</rt></ruby>" <ruby>用<rt>yòng</rt></ruby> <ruby>什<rt>shén</rt></ruby> <ruby>么<rt>me</rt></ruby> <ruby>办<rt>bàn</rt></ruby> <ruby>法<rt>fǎ</rt></ruby> <ruby>使<rt>shǐ</rt></ruby> <ruby>大<rt>dà</rt></ruby> <ruby>蒜<rt>suàn</rt></ruby> <ruby>头<rt>tóu</rt></ruby> <ruby>不<rt>bú</rt></ruby>"<ruby>睡<rt>shuì</rt></ruby> <ruby>觉<rt>jiào</rt></ruby>"<ruby>了<rt>le</rt></ruby>？<ruby>用<rt>yòng</rt></ruby>"～～" <ruby>画<rt>huà</rt></ruby> <ruby>出<rt>chu</rt></ruby> <ruby>有<rt>yǒu</rt></ruby> <ruby>关<rt>guān</rt></ruby> <ruby>句<rt>jù</rt></ruby> <ruby>子<rt>zi</rt></ruby>。

21. <ruby>给<rt>gěi</rt></ruby> <ruby>蒜<rt>suàn</rt></ruby> <ruby>宝<rt>bǎo</rt></ruby> <ruby>宝<rt>bao</rt></ruby> <ruby>喝<rt>hē</rt></ruby> <ruby>水<rt>shuǐ</rt></ruby>

<ruby>好<rt>hǎo</rt></ruby> <ruby>的<rt>de</rt></ruby> <ruby>习<rt>xí</rt></ruby> <ruby>作<rt>zuò</rt></ruby>

<ruby>天<rt>tiān</rt></ruby> <ruby>真<rt>zhēn</rt></ruby> <ruby>冷<rt>lěng</rt></ruby>，<ruby>我<rt>wǒ</rt></ruby> <ruby>又<rt>yòu</rt></ruby> <ruby>去<rt>qù</rt></ruby> <ruby>看<rt>kàn</rt></ruby> <ruby>蒜<rt>suàn</rt></ruby> <ruby>宝<rt>bǎo</rt></ruby> <ruby>宝<rt>bao</rt></ruby> <ruby>了<rt>le</rt></ruby>。<ruby>别<rt>bié</rt></ruby> <ruby>人<rt>rén</rt></ruby> <ruby>种<rt>zhòng</rt></ruby> <ruby>的<rt>de</rt></ruby> <ruby>蒜<rt>suàn</rt></ruby> <ruby>宝<rt>bǎo</rt></ruby>

宝有的已经长得有手指那么长了，我的才探出了一个小尖脑袋，真是急死人了！

老师说要经常给蒜宝宝喝水，这样蒜宝宝才会长得快。可天气这么冷，蒜宝宝喝冷水行吗？一定会不舒服的。我赶紧到班上拿来水壶，自己先尝了一小口，水温温的，喝了真舒服。我蹲下来慢慢地把水倒给蒜宝宝喝。"咕咚，咕咚"，蒜宝宝喝得可真开心！我一边倒水一边轻轻地对蒜宝宝说："蒜宝宝，多喝一点，这样，你很快就会长高的。"

回到家里，我高兴地把这件事告诉了妈妈。妈妈告诉我，蒜宝宝不能喝热水，再冷的天，它也只能喝冷水，因为它是植物，否则会把它烫伤烫死的。原来是这样啊！我赶紧打电话告诉老师，告诉同学，不能给蒜宝宝喝热水！

为什么好

小作者是个有爱心的孩子，天气冷，怕蒜宝宝喝

lěng shuǐ bù shū fu biàn bǎ zì jǐ hē de wēn shuǐ gěi suàn bǎo bao hē dāng
冷水不舒服,便把自己喝的温水给蒜宝宝喝。当

tā dé zhī suàn bǎo bao bù néng hē rè shuǐ de yuán yīn hòu mǎ shàng dǎ diàn huà
他得知蒜宝宝不能喝热水的原因后,马上打电话

gào su lǎo shī gào su tóng xué xiǎo zuò zhě ài dòng nǎo shàn liáng rè xīn de
告诉老师,告诉同学。小作者爱动脑、善良、热心的

xíng xiàng biàn chū xiàn zài le wǒ men miàn qián tā tiān zhēn yòu zhì de zuò fǎ
形象便出现在了我们面前,他天真、幼稚的做法

gěi wǒ men liú xia le shēn kè de yìn xiàng
给我们留下了深刻的印象。

⊚ hǎo zài nǎ li
好在哪里……

wǒ wèi shén me yào gěi suàn bǎo bao hē wēn shuǐ yòng huà chu
1. "我"为什么要给蒜宝宝喝温水?用"——"画出

wǒ de xiǎng fǎ
"我"的想法。

wǒ shì zěn me gěi suàn bǎo bao hē shuǐ de yòng huà chu yǒu
2. "我"是怎么给蒜宝宝喝水的?用"～～"画出有

guān nèi róng
关内容。

yú tāng gèng xiān měi le
22. 鱼汤更鲜美了

⊚ hǎo de xí zuò
好的习作

dà suàn fēng shōu le lǎo shī ràng wǒ men bǎ jiǎn xia lai de dà suàn yè
大蒜丰收了,老师让我们把剪下来的大蒜叶

子带回家品尝品尝。回到家里，我把蒜宝宝的叶子洗得干干净净，妈妈把蒜叶切得短短的。等鱼汤烧好了，我把蒜叶撒进雪白的鱼汤里，绿绿的，真好看啊！"好香啊！"我迫不及待地舀了一口喝，呵，真是鲜美可口！我大口大口地喝着鱼汤，爸爸妈妈也跟我抢着喝，我们一家人吃得津津有味。我心里别提有多高兴了！

为什么好

自己种的大蒜长大了，丰收了。小作者带着欣喜和爸爸妈妈共同品尝劳动的成果，你看："我迫不及待地舀了一口喝"，"爸爸妈妈也跟我抢着喝"，"一家人吃得津津有味"，多么快乐的一家人啊！这样的鱼汤能不鲜美吗！

好在哪里……

用"～～～"把大家喝鱼汤的句子画出来，再读一读。

dú chu yú tāng de xiān měi dú chu dà jiā hē yú tāng de kuài lè
读出鱼汤的鲜美,读出大家喝鱼汤的快乐。

bīng tiào wǔ la
23. 冰跳舞啦

hǎo de xí zuò
好的习作

　　jīn tiān tiān qì tè bié lěng bà ba yào dài wǒ chū qu wán yi wán shài shai
　　今天,天气特别冷,爸爸要带我出去玩一玩,晒晒

tài yáng yú shì wǒ men lái dào le bà ba de xué xiào
太阳。于是,我们来到了爸爸的学校。

　　dāng wǒ men jīng guò xiǎo chí táng de shí hou wǒ fā xiàn xiǎo chí táng
　　当我们经过小池塘的时候,我发现小池塘

hé yǐ qián bù yí yàng le shuǐ miàn shang jié le yì céng jīng yíng tòu míng
和以前不一样了,水面上结了一层晶莹透明

de bīng wǒ gǎn jǐn tíng xia lai fēi kuài de pǎo dào xiǎo chí táng biān wǒ
的冰。我赶紧停下来,飞快地跑到小池塘边,我

qiāo qi le yí kuài bīng xiàng bīng miàn shang rēng qu tā huá ya huá ya hǎo
敲起了一块冰向冰面上扔去,它滑呀滑呀,好

xiàng yí ge rén zài bīng miàn shang tiào wǔ měng de tā yòu zhuàng dào le lìng
像一个人在冰面上跳舞,猛地它又撞到了另

yí kuài bīng nà kuài bīng yě gēn zhe tiào qi le wǔ tā men hǎo xiàng zài biǎo
一块冰,那块冰也跟着跳起了舞,它们好像在表

yǎn bīng shang bā léi wǒ gāo xìng de hǎn le qi lai bīng tiào wǔ la bīng
演冰上芭蕾。我高兴得喊了起来:"冰跳舞啦!冰

tiào wǔ la
跳舞啦!"

141

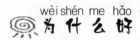

wèi shén me hǎo
为什么好

xiǎo chí táng li jié bīng le táo bu guò xiǎo zuò zhě nà shuāng míng liàng
小池塘里结冰了,逃不过小作者那双明亮
de yǎn jing tiáo pí de xiǎo zuò zhě zhēn huì wán néng ràng bīng kuài zài bīng
的眼睛。调皮的小作者真会玩,能让冰块在冰
miàn shang tiào wǔ xiǎo zuò zhě bǎ rēng bīng kuài wán miáo xiě de jiǎn jié ér
面上跳舞。小作者把扔冰块玩描写得简洁而
yòu yǒu qù tā de shēng huó li chōng mǎn le kuài lè
又有趣,他的生活里充满了快乐!

hǎo zài nǎ li
好在哪里……

bīng shì zěn me tiào wǔ de yòng   huà chu yǒu guān jù zi zài
冰是怎么跳舞的? 用"~~~"画出有关句子,再
dú yi dú
读一读。

chuán   qiú
24. 传 球

hǎo de xí zuò
好的习作

chuán qiú bǐ sài kāi shǐ le qián ruì bào zhù qiú xùn sù diào tóu chuán
传球比赛开始了。钱睿抱住球,迅速调头传
gěi gāo huān yǎn kàn jiù yào dào wǒ le wǒ zǎo zǎo de shēn cháng le shǒu
给高欢。眼看就要到我了,我早早地伸长了手

142

臂，随时准备接球。球一到我手里，我抱住球，飞快地转过身送到了周小飞的手里，这才松了一口气。就这样，大家传得飞快，终于传到了郑欣和手里。他满怀信心地接住了球，迅速转身把球传到后面去。"喂，后面没人了！""你干吗？"我们急得叫了起来。郑欣和愣住了。只见那球"咚——"的一声，从雪白的墙上反弹回来，打到了郑欣和的鼻子。"哎哟——"他大叫着，一手捂着鼻子，一手挡球。球正好落在了同桌手里，同桌赶紧往前传。

尽管大家很努力，但我们还是输了。

为什么好

小作者选取了传球过程中最精彩的部分——坐在最后的郑欣和误传球的事，把郑欣和的狼狈、大家的焦急以及球反弹的情形写得十分真切。

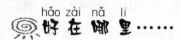
好在哪里……

yòng huà chu wǒ shì rú hé chuán qiú de
1. 用"——"画出"我"是如何 传 球的。

yòng huà chu zhèng xīn hé bèi qiú dǎ dào le bí zi hòu de
2. 用"～～"画出 郑 欣和被球打到了鼻子后的

biǎo xiàn
表 现。

shuǐ xià lè yuán
25. 水下乐园

好的习作

jīn tiān wǒ gāng jìn xiào mén jiù kàn dào jiǎng ā yí zài cāo chǎng
今天,我 刚 进校 门,就看到蒋 阿姨在操 场

shang jiāo huā
上 浇花。

wǒ gāo xìng de yì biān pǎo yì biān hǎn wán shuǐ lou wán shuǐ lou
我高兴地一边跑一边喊:"玩水喽! 玩水喽!"

wǒ wèn jiǎng ā yí jiāo huā gàn shén me jiǎng ā yí méi yǒu huí dá wǒ
我问 蒋 阿姨浇花干什么,蒋 阿姨没有回答。我

xiǎng yīng gāi shì cán dòu bǎo bao xiǎo yě huā guì huā tā men tài rè le jiǎng
想 应 该是蚕豆宝宝、小野花、桂花它们太热了,蒋

ā yí zài gěi tā men xǐ lěng shuǐ zǎo ba jiǎng ā yí kě zhēn lì hai tuō
阿姨在给它们洗冷水澡吧。蒋 阿姨可 真 厉害,拖

zhe cháng cháng de cū cū de pí guǎn bú dàn gěi jìn chù de huā er jiāo le
着 长 长 的、粗粗的皮管,不但给近处的花儿浇了

shuǐ jiù lián yuǎn chù de huā cǎo dōu bāng tā men xǐ le ge tòng kuài yì xiē
水,就连远处的花草都帮它们洗了个痛快! 一些

nán tóng xué zhēn tiáo pí tā men bǎ pēn chu lai de shuǐ dàng chéng shuǐ qiáo
男同学真调皮,他们把喷出来的水当成水桥,

cóng qiáo xià zuān guo lai zuān guo qu xiào zhe jiào zhe wán de hǎo kāi xīn a
从桥下钻过来钻过去,笑着叫着,玩得好开心啊!

hā hā cāo chǎng chéng le tóng xué men de shuǐ xià lè yuán
哈哈,操场成了同学们的水下乐园!

wèi shén me hǎo
为什么好

xiǎo zuò zhě duì xué xiào shēng huó chōng mǎn le xǐ ài zhī qíng lián gěi
小作者对学校生活充满了喜爱之情,连给

xiǎo huā xiǎo cǎo jiāo shuǐ zhè jiàn xiǎo shì dōu néng xiě de zhè me kāi xīn xiǎo
小花小草浇水这件小事都能写得这么开心。小

zuò zhě yǐ yì kē ér tóng tiān zhēn de xīn cāi xiǎng huā cǎo tài rè le bǎ
作者以一颗儿童天真的心猜想花草太热了,把

tiáo pí de nán tóng xué zài shuǐ xià huān xiào de yàng zi dài gěi le dú zhě
调皮的男同学在水下欢笑的样子带给了读者,

xiǎo zuò zhě de zì lǐ háng jiān liú tǎng de quán shì kuài lè
小作者的字里行间流淌的全是快乐。

145

hǎo zài nǎ li
好在哪里……

yòng huà chu xiě jiǎng ā yí lì hai de jù zi
1. 用"～～～"画出写蒋阿姨厉害的句子。

yòng huà chu xiě nán tóng xué tiáo pí de jù zi zài dú yi
2. 用"——"画出写男同学调皮的句子,再读一

dú dú chu tā men kāi xīn de yàng zi
读,读出他们开心的样子。

26. 找动物

〇 好的习作

今天的天气特别好,俞老师带我们到清凉山公园玩找动物的游戏。俞老师告诉我们,这些小动物全藏在山坡的一块草地上。

哨子一响,我和小朋友一起冲进草地。我用脚踢着枯叶、小草,可什么也没发现。"我找到了!""我找到了!"听到小朋友的叫声,我心里可急了,连忙弯下腰,用手扒草丛。突然,绿绿的小草里露出了一点雪白,我眼睛一亮,伸手去拿。两只可爱的小猫咪正在照镜子呢!"我也找到了!"我兴奋地举着小动物卡片大叫起来。

后来,我又在树枝上发现了小鸟,枯叶下抓到了小鸭,就连藏在竹子上面的大熊猫也被我找到了。

今天，我一共找到了六张小动物卡片，俞老师表扬了我，夸我真能干！

为什么好

小作者把自己如何找到小动物的经过描写得比较详细：一开始用脚踢，怎么能找得到呢？小作者抓住了自己找小动物卡片时的动作、自己的发现和兴奋的话语，把他当时寻找小动物的情形一一展现在我们的眼前。文章真实、可信而且比较生动。尤其是第三小节用简洁的话语介绍了其他小动物的藏身之处，也写出了小作者的聪明之处：藏得这么隐蔽，还是被抓住了。

好在哪里……

一开始"我"是怎么"找"小动物的？后来"我"又是怎么找的？分别用"——"和"~~~~"画出有关句子。

27. 负重接力
fù zhòng jiē lì

🌀 **好的习作**
hǎo de xí zuò

今天下午学校开亲子运动会,我和爸爸妈妈参
jīn tiān xià wǔ xué xiào kāi qīn zǐ yùn dòng huì wǒ hé bà ba mā ma cān

加了负重接力比赛。
jiā le fù zhòng jiē lì bǐ sài

妈妈抱着我站在起跑线上,同学们看见了,
mā ma bào zhe wǒ zhàn zài qǐ pǎo xiàn shang tóng xué men kàn jiàn le

举起了牌子,大声喊:"郁东霖——加油!""郁东
jǔ qi le pái zi dà shēng hǎn yù dōng lín jiā yóu yù dōng

霖——加油!"我心里可高兴了。
lín jiā yóu wǒ xīn li kě gāo xìng le

比赛开始了,体育老师吹了一声口哨,妈妈抱
bǐ sài kāi shǐ le tǐ yù lǎo shī chuī le yì shēng kǒu shào mā ma bào

紧了我拼命向前跑,我紧紧地搂着妈妈的脖子,
jǐn le wǒ pīn mìng xiàng qián pǎo wǒ jǐn jǐn de lǒu zhe mā ma de bó zi

生怕掉下来,眼看就要到爸爸面前了,妈妈三步
shēng pà diào xia lai yǎn kàn jiù yào dào bà ba miàn qián le mā ma sān bù

并作两步把我递给爸爸。爸爸一把抱住我,飞快
bìng zuò liǎng bù bǎ wǒ dì gěi bà ba bà ba yì bǎ bào zhù wǒ fēi kuài

地向前冲。爸爸跑得可快啦,一下就超过了所
de xiàng qián chōng bà ba pǎo de kě kuài la yí xià jiù chāo guò le suǒ

有的爸爸,冲在了最前面。眼看就要到终点了,
yǒu de bà ba chōng zài le zuì qián mian yǎn kàn jiù yào dào zhōng diǎn le

突然,爸爸手一松,我和爸爸同时摔了下来,"轰
tū rán bà ba shǒu yì sōng wǒ hé bà ba tóng shí shuāi le xia lai hōng

隆"一声,我的头撞在地板上了。
lōng yì shēng wǒ de tóu zhuàng zài dì bǎn shang le

148

āi yō　　　wǒ téng de dà jiào qi lai xǔ duō rén pǎo guo lai bǎ wǒ
"唉哟——"我疼得大叫起来，许多人跑过来把我

fú le qi lai hái hǎo tóu méi pò
扶了起来，还好，头没破。

kě shì wǒ de dì yī míng chéng le dào shǔ dì yī míng le
可是我的第一名成了倒数第一名了。

wā　　　wǒ rěn bu zhù dà kū qi lai
"哇——"我忍不住大哭起来。

ài　　zhēn bù shuǎng
唉！真不爽！

◎ wèi shén me hǎo 为什么好

xiǎo zuò zhě zhuā zhù bà ba mā ma de sù dù zhī kuài yán yǔ zhōng tòu
小作者抓住爸爸妈妈的速度之快，言语中透

zhe wú xiàn de zì háo sì hū shèng quàn zài wò　　yì xiǎng bú dào de shì suí
着无限的自豪，似乎胜券在握。意想不到的是随

zhe hōng lōng yì shēng yǎn kàn dào shǒu de dì yī míng chéng le dào shǔ dì
着"轰隆"一声，眼看到手的第一名成了倒数第

yī xiǎo zuò zhě chú le shēn tǐ shang de téng tòng zhī wài gèng duō de shì
一。小作者除了身体上的疼痛之外，更多的是

xīn téng xīn téng dì yī míng méi yǒu le yuán běn zuì kuài lè de rén yí xià
心疼，心疼第一名没有了，原本最快乐的人一下

zi chéng le zuì nán guò de rén zhēn de bù shuǎng
子成了最难过的人，真的不爽！

◎ hǎo zài nǎ li…… 好在哪里……

yòng　　　　　huà chu wǒ zài mā ma shǒu li de biǎo xiàn
1. 用"——"画出"我"在妈妈手里的表现。

yòng　　　　　huà chu miáo xiě bà ba pǎo de kuài de jù zi
2. 用"～～"画出描写爸爸跑得快的句子。

149

28. 一块饼干
yí kuài bǐng gān

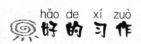
好的习作
hǎo de xí zuò

妈妈送给我一块玩具饼干，黄黄的饼干
mā ma sòng gěi wǒ yí kuài wán jù bǐng gān huáng huáng de bǐng gān
上整齐地排列着几个小孔，中间夹着巧克力
shang zhěng qí de pái liè zhe jǐ ge xiǎo kǒng zhōng jiān jiā zhe qiǎo kè lì
馅，表面还沾了点"饼干屑"，看上去油润润的，和
xiàn biǎo miàn hái zhān le diǎn bǐng gān xiè kàn shang qu yóu rùn rùn de hé
真的一样。我可喜欢啦！坐在病床上整天
zhēn de yí yàng wǒ kě xǐ huan la zuò zài bìng chuáng shang zhěng tiān
玩它。
wán tā

下午，俞老师又来看我了。她推开门，笑容满
xià wǔ yú lǎo shī yòu lái kàn wǒ le tā tuī kāi mén xiào róng mǎn
面地走了进来。我马上从口袋里掏出饼干，伸
miàn de zǒu le jìn lai wǒ mǎ shàng cóng kǒu dai li tāo chu bǐng gān shēn
手递给俞老师，笑嘻嘻地说："给你吃饼干。"俞老师
shǒu dì gěi yú lǎo shī xiào xī xī de shuō gěi nǐ chī bǐng gān yú lǎo shī
飞快地冲到床边，弯下腰，张着大嘴巴，伸长
fēi kuài de chōng dào chuáng biān wān xia yāo zhāng zhe dà zuǐ ba shēn cháng
了脖子，紧紧咬住了"饼干"。我一看，赶紧大叫："假
le bó zi jǐn jǐn yǎo zhù le bǐng gān wǒ yí kàn gǎn jǐn dà jiào jiǎ
的！假的！"她立刻松开"饼干"。我们俩开心得大笑
de jiǎ de tā lì kè sōng kāi bǐng gān wǒ men liǎ kāi xīn de dà xiào
起来。俞老师直喊："上当啦！上当啦！我还以为
qi lai yú lǎo shī zhí hǎn shàng dàng la shàng dàng la wǒ hái yǐ wéi
是真的呢！"
shì zhēn de ne

为什么好
wèi shén me hǎo

　　这是由一块玩具饼干引起的事情，小作者在
zhè shì yóu yí kuài wán jù bǐng gān yǐn qǐ de shì qing xiǎo zuò zhě zài

文章的开头不惜笔墨，着力对它进行了一番描
wén zhāng de kāi tóu bù xī bǐ mò zhuó lì duì tā jìn xíng le yì fān miáo

写，让人感觉跟真的一样，这样才会让老师上
xiě ràng rén gǎn jué gēn zhēn de yí yàng zhè yàng cái huì ràng lǎo shī shàng

当。小作者抓住自己和老师的动作、语言，把骗老
dàng xiǎo zuò zhě zhuā zhù zì jǐ hé lǎo shī de dòng zuò yǔ yán bǎ piàn lǎo

师上当的一瞬间的事情写得具体而生动，充
shī shàng dàng de yí shùn jiān de shì qing xiě de jù tǐ ér shēng dòng chōng

满了快乐。
mǎn le kuài lè

好在哪里……
hǎo zài nǎ li

　　1. 玩具饼干是什么样的？用"——"画出有关
wán jù bǐng gān shì shén me yàng de yòng huà chū yǒu guān

句子。
jù zi

　　2. 用"~~~~"画出俞老师"吃"饼干的句子。
yòng huà chū yú lǎo shī chī bǐng gān de jù zi

29. 称"小猪"

好的习作

今天,我从抽屉里翻出了一本相册,第一页是一张称"小猪"的照片,上面有婆婆、公公、妈妈还有我。听爸爸说,那时我才两个多月,睡在一块小方绒毯上,绒毯的四个角用绳系着,被钩在一杆大秤上。婆婆一手拎着秤钮,一手挪着秤砣,大笑着,好像在说:"小猪崽又长胖啦!"在一旁的公公、妈妈也哈哈大笑,好像在说:"小猪不轻了吧?"不知为什么,我也跟着笑了。婆婆开心地说:"小家伙笑得不错,快,快拿照相机!"爸爸立刻拿来相机,"咔嚓"一下,就把那场面保留至今。

为什么好

小作者无意中翻到自己小时候的一张照

piàn zhào piàn li jū rán cáng zhe yí ge yǒu qù de gù shi xiǎo zuò zhě yòng
片,照片里居然藏着一个有趣的故事。小作者用

liú chàng de bǐ mò bǎ dàng shí de qíng jǐng miáo shù de fēi cháng qīng chu
流畅的笔墨把当时的情景描述得非常清楚,

tè bié shì zhào piàn shang de huà miàn shēng dòng ér qù wèi shí zú huí yì
特别是照片上的画面生动而趣味十足。回忆

wǒ men chéng zhǎng shí jīng lì guo de shì qing bìng xiě xia lai kě yǐ cháng
我们成长时经历过的事情并写下来,可以常

cháng fēn xiǎng dào kuài lè
常分享到快乐。

hǎo zài nǎ li
好在哪里……

pó po shì rú hé chēng wǒ de yòng huà chu pó po dàng shí
婆婆是如何称"我"的?用"〰"画出婆婆当时

chēng wǒ de yǒu guān jù zi
称"我"的有关句子。

dǎi hú dié
30. 逮蝴蝶

hǎo de xí zuò
好的习作

gōng yuán li zhēn piào liang xiǎo cǎo bì lù bì lù de huā ér kāi fàng
公园里真漂亮,小草碧绿碧绿的,花儿开放

le yǒu hóng de yǒu huáng de yǒu bái de hái yǒu zǐ sè de fēi cháng
了,有红的,有黄的,有白的,还有紫色的,非常

měi lì
美丽。

突然，我在草丛中发现一只雪白的蝴蝶停在碧绿的小草上，好漂亮啊！我忍不住轻手轻脚地向蝴蝶走去，准备逮住它。

"旸旸，要用手捂住小屁屁，要不蝴蝶会飞掉的！"爸爸在一边轻轻地叫着。

我连忙用左手捂住小屁屁，抬起右手，慢慢地蹲下，对准蝴蝶猛地一拍。唉！真可惜！给它飞掉了！我眼睁睁地看着蝴蝶扇动着翅膀朝空中飞去，真希望蝴蝶能再停下来休息！

"哈哈哈哈——"爸爸那边，大人们笑得直不起腰，妈妈笑得喘不过气来，连眼泪都笑出来了，奶奶笑得站不起来了。

"有什么好笑的！"我捂着屁屁大叫着。

"咔嚓——"，爸爸把我那傻乎乎的样子拍了下来。

等笑够了，奶奶才一边擦着眼泪一边告诉我：让小孩子捂着小屁股逮蝴蝶是在逗小孩子玩，爸

爸 小 时 候 也 像 你 这 么 傻。

哼！我 假 装 生 气 地 挥 着 拳 头 捶 爸 爸："坏 爸

爸！坏 爸 爸！"

"哈 哈 哈 哈——"大 家 又 开 心 地 大 笑 起 来。

为什么好

看 着 儿 子 逮 蝴 蝶，爸 爸 使 了 个 坏，捉 弄 了 儿 子。

儿 子 总 是 听 爸 爸 的 话，无 意 中 上 了 爸 爸 的 当。

文 章 围 绕 着 逮 蝴 蝶 写 出 了"我"的 天 真，写 出 了 一

家 人 的 快 乐，生 活 气 息 很 浓。

好在哪里……

1. 用"～～～"画 出"我"抓 蝴 蝶 的 样 子。你 也 学 着

小 作 者 的 样 子"抓 一 抓"蝴 蝶，体 会 一 下 抓 蝴 蝶 的

经 过。

2. 看 到"我"上 当 了，大 人 们 是 怎 么 笑 的？用

"——"画 出 有 关 句 子。

参考答案

作文基础篇

一、把句子写完整

（一）学写基本句子

[连一连] 略

[练一练] 1.（1）上课 （2）妈妈 （3）小狗 （4）飞 （5）鱼儿 （6）爬树（答案不唯一,只要符合图意即可）

2.（1）小学生/好朋友 （2）厨师 （3）害虫 （4）苹果 桃子 （5）妈妈/阿姨（6）玩具

3.（1）放学了 （2）高 矮 （3）很大 （4）在天上飞/飞得高 （5）弟弟（6）开得快

4.（1）玩具 （2）松果 吃 （3）鸟窝 （4）牛羊 （5）文具/书等 （6）公园里(答案不唯一)

（二）正确使用标点符号

[练一练]（1）。 （2）？ （3）。 （4）！ （5）。 （6）？ （7）。 （8）。
（9）？ （10）？ （11）？ （12）。 （13）？ （14）？ （15）。 （16）！
（17）！ （18）？ （19）。 （20）？

（三）学会使用他、她、它

[练一练] 1.（1）他 （2）它 （3）她 （4）他 （5）她 （6）它
2.（1）他们 她们 （2）她们 它们 （3）它们 他们 （4）它们 她们
（5）他们 她们 （6）她们 它们
3.（1）她 （2）他 （3）它 （4）她 （5）它 （6）他
4.（1）它们 （2）她们 （3）他们 （4）他们 （5）它们 （6）他们

（四）判断句子是否完整

[练一练] 1.（1）✓ （2）✕ （3）✓ （4）✕ （5）✓ （6）✕ （7）✓

(8) ×　(9) ×　(10) ✓

　　2. (1) 妹妹　(2) 手帕　(3) 去上学　(4) 小草　(5) 风　(6) 慢慢地爬

(7) 桃子　(8) 小蝌蚪　(9) 去游泳　(10) 我们　　（只要句子补充完整即可）

二、把句子写通顺写连贯

（一）词语搭配要准确

1. 准确运用量词。

[练一练] 片/张　根　面　座　条/只　张　轮　节

[连一连] 略

2. 准确运用动词。

[练一练] 荡　滑　扔　跳　采　抓/捉　抱　擦

[连一连] 略

（二）整合词语、句子

[练一练] 1. (1) 爷爷小心地骑车。　(2) 妹妹抱着心爱的小娃娃。　(3) 我们听老师讲故事。　(4) 我们在看一幅画。　(5) 他专心地练书法。　(6) 弟弟找来一根长长的竹竿。

　　2. (1) 我和王明手拉手。　(2) 我爱美丽的秋天。　(3) 你去看花儿吗？(4) 小白兔写了一封信。　(5) 大海里有各种各样的鱼。　(6) 小鸡在草地上吃虫子。

（三）理清句子的前后关系,把句子写连贯

1. 理清两个句子的关系。

[练一练]　(1) 小白兔看见了一个大蘑菇,赶紧弯下腰采蘑菇。　(2) 一阵风吹来,树叶四处乱飞。　(3) 小蚂蚁看见了一片树叶,马上爬了上去。　(4) 小狗听见了声音,"汪汪"地叫了起来。　(5) 小树吸收了营养,长得更快了。　(6) 我抱着皮球来到操场,和大家一起拍皮球。

2. 看图排序,练习说话。

[练一练]　说话要求:只要把图的主要内容说清楚就可以了,不必按参考一点不落地说。　(1) 231　跑步比赛开始了,运动员站在起点。哨声一响,他们飞快地冲了出去。小明拼命向前跑,超过了同伴,快到终点了,小明咬紧牙关,加快脚步,终于夺得了第一名。　(2) 312　宁宁把换下来的脏衣服放在洗衣盆里。妈妈打来水,倒上洗衣粉坐在小板凳上吃力地洗衣服。她终于把所有的衣服都洗好了,晾在绳子上。一件件衣服洗得真干净。　(3) 321　今天的天气真好,小刚扛着小树苗,拿着一个

牌子,唱着歌儿高高兴兴地去种树。他吃力地挖了一个坑,把小树栽进去,又把"爱护小树"的牌子插在小树的边上。看着小树挺直了腰,小刚开心地笑了。 (4) 3421 六点半,张军起床了。他铺好床,马上刷牙、洗脸,吃过早饭,背上书包高高兴兴地去上学。七点钟,他已经在打扫卫生了。 (5) 3421 下课了,小朋友围成一圈做游戏。大家一边拍手一边唱歌,牛牛拿着手帕在大家身后跑。他突然把手帕放在小文的身后,马上跑了起来。小文发现了,抓起手帕爬起来就去追牛牛。 (6) 4132 新年到了,王小波找来鲜艳的纸做窗花。他先把纸折好,再用剪刀剪成自己喜欢的图案。剪好后,他小心地打开剪纸,哇,好漂亮!王小波把窗花贴在窗户上,窗花真好看!

3. 给句子排序。

[练一练] (1) 2413 (2) 3214 (3) 3241 (4) 4213 (5) 4321 (6) 32145

三、把句子写具体

(一)给句子"涂"上色彩

[连一连] 略

[练一练] 1. 绿绿/嫩绿 2. 红红/红通通等 3. 雪白等 4. 蓝蓝 洁白/雪白等 5. 黄灿灿/金黄等 6. 红艳艳/红红等 绿油油/绿绿等

(二)让句子发出声音

[练一练] 1.(1)呼噜呼噜 (2)咩咩 (3)呱呱呱 (4)叽叽喳喳 (5)喔喔喔 (6)叽叽叽 (7)呼呼 (8)轰隆隆

2.(1)咚咚咚 (2)沙沙 (3)哇 (4)砰 (5)嘟嘟嘟 (6)哈哈哈哈

(三)使句子动起来

[连一连] 略

[练一练] 1. 一蹦一跳/蹦蹦跳跳等 2. 轻轻/悄悄 3. 一摇一晃/晃晃悠悠等 4. 甜甜/甜滋滋等 5. 吃力/使劲等 6. 开心/快乐等

作文训练篇

一、根据问题说话

(一)自我介绍

[练一练] 1. 我叫赵小平,今年六岁,是南京市××小学一年级(2)班的学生。

2. 我叫杨波,今年七岁,在无锡市×××小学一年级(4)班读书。我家住在云南路74号,家里有爸爸妈妈和我。爸爸在社会科学院工作,妈妈是太平巷幼儿园的老师。爸爸妈妈爱我,我也爱爸爸妈妈。我很喜欢我的家。

3. 我叫徐婷婷,今年七岁,在北京市×××小学一年级(1)班读书。我们的班主任是孙老师。我最喜欢孙老师,因为孙老师讲的故事特别有意思。

4. 我叫曹建,今年七岁,在上海市×××小学一年级(1)班读书。我最喜欢剪窗花,把五颜六色的蜡光纸折几下,"嚓嚓嚓"只要几剪刀,就能剪出各种好看的图案,再把它们往窗户上一贴,嘿,真漂亮! 到过我家的客人都说我聪明能干!

(二)下课了

[练一练] 1. 下课了,小朋友们像小鸟一样来到操场上活动。他们有的跳绳,有的丢手绢,还有的捉迷藏。大家玩得真开心。

2. 下课了,值日生主动留在教室,当老师的小帮手。他们有的擦黑板,有的放粉笔,有的排桌子,还有的捡地上的纸屑。他们非常认真。

(三)我爱爸爸妈妈

[练一练] 我的爸爸是钢铁厂的工程师,妈妈是一位会计。每天早晨,爸爸妈妈早早地去上班,我和他们告别去上学。晚上,妈妈给我织毛衣,爸爸给我讲故事。休息天,爸爸妈妈带着我到郊外去捉蝴蝶做标本。放了暑假,他们还陪我游泳。我爱我的爸爸妈妈。

我的爸爸是机关的干部,妈妈是医生。他们工作很努力,尤其是妈妈,对病人可关心啦,她常说病人就是自己的亲人,要尽自己的力量帮他们减轻痛苦。她常常被评为先进。我爱我的爸爸妈妈。

(四)正确地说话

[练一练] 1. 妈妈,祝你节日快乐!

2. 奶奶,祝你生日快乐! 身体健康!

3. 李明,祝贺你! 我要好好向你学习。

4. 老师,我来帮你拿一点吧。

5. 爸爸,你真棒! 真是我的好爸爸。

6. 红红,小丽,在马路上边走边看书是很危险的!

7. 这儿的书可真多啊!

8. 爷爷,我今天数学考了100分! 好小子,你真行!

(只要说的话符合当时的场景都很棒的)

二、看图说、写一两句话

（一）看图说话并填空

[练一练] 1. 乐乐 沙滩上 快乐地 沙滩上 小脚印

2. 树叶 打滚/敲鼓、跳舞等 真调皮/开心、可爱等

3. 小兔 小熊 草地 传飞碟 用力把飞碟一扔 飞快地跑过去接住了飞碟
真开心啊！

4. 夏天 荷花 一个个大大的莲蓬 划着小船 荷花池里 唱歌 采莲蓬（只
要符合图画内容并且填得通顺即可）

（二）给句子涂上美丽的颜色，练习说话并填空

[练一练] 1. 天空中 五颜六色 红 黄 蓝 等

2. 黄 像一把把金色的小扇子 像一只只美丽的黄蝴蝶 多好看啊

3. 绿绿 胖乎乎/圆滚滚 红通通 一个个小灯笼 真漂亮 跟我们点头呢

4. 春天 绿 细长 像妈妈的长发 粉红 金黄 小喇叭 春天来啦（只要符
合图画内容，符合生活实际，并且填得通顺即可）

（三）动脑动手，想象着说、写一两句话

[练一练] 我是一个圆。小朋友给我添上几笔，我就变成了一个绿油油的大西
瓜。在炎热的夏天，只要你咬上几口，顿时就觉得不热也不渴了。

我是一个圆。小朋友给我添上几笔，我就变成了一个灯泡。夜里黑乎乎的，有了
我，道路就亮堂堂的，路人和车辆可以放心地通行了。

（气球、扇子、伞、太阳、花儿、苹果、生日蛋糕、钟、帽子、纽扣、镜子、红绿灯、盘盆
等，只要想象合理，尽情地让孩子说）

（四）看图说话、写话

（参考答案备两份，第一份是基本答案，是给普通同学准备的；第二份是提高答
案，是给能干的同学准备的。）

[练一练] 1. 基础：放学了，小明一回到家就认真地写作业。

提高：放学了，小明一回到家就坐在写字台前，拿出书本、铅笔盒，打开台灯，在灯
下专心地写作业。

2. 基础：早上，小弟弟在刷牙。

提高：早上，弟弟起来以后，拿起牙刷，挤上牙膏，接了一杯水，漱了口，开始刷牙
了。嘴里刷出了许多雪白的泡沫，就像螃蟹在吐泡泡。

3. 基础：早上，奶奶买了一篮菜吃力地往家走。

提高:早上,奶奶买好了一篮子菜,有黄瓜、大蒜、胡萝卜、青菜,篮子都快装不下了。奶奶左手挎着沉甸甸的篮子,吃力地往家走去。

4. 基础:今天,妈妈买了一束鲜花,把它插到了花瓶里,真好看!

提高:家里的花谢了,妈妈又买了一束鲜花,小心地插到花瓶里。你看,鲜红的花儿配上粉红的花瓶,多漂亮! 妈妈忍不住笑了。

5. 基础:方方手里拿着风车,顶着风跑。风车转了起来,方方多开心啊!

提高:方方做好了小风车,他抓住风车的把子,顶着风跑。风车被风吹得呼呼响,红红的风车不停地转着,像哪吒的风火轮。方方一边跑一边喊:"风车转起来了! 风车转起来了!"

6. 基础:春天来了,小宁种了一棵树。小树站得直直的,小宁热得直擦汗。

提高:植树节到了,小宁在家门口种了一棵树。小树苗挺直了腰,显得很有精神。小宁累得气喘吁吁,忙得满头大汗。你看,他左手扶着铁锹,右手正用毛巾擦汗呢。一阵微风吹来,树叶儿轻轻地摆动着,好像在说:"小哥哥,谢谢你。"小宁看着小树,笑着说:"好好长吧,我会常给你浇水施肥,让你健康成长的。"

作文赏析篇

1. 盛鸡蛋

我恨不得找一个地方躲起来。

2. 裤子湿了

1. 一开始,我感觉腿上热热的,可是,过了一会儿,就觉得凉凉的,好像冷水泼在了身上。

2. 俞老师走过来,看了看我的裤子,笑了,轻轻对我说:"你尿裤子了?"

3. 我的衣服穿反了

我仔细地看了看我的衣服,真的,毛衣上的小花不见了,只有一道道横线,好像在咧着嘴笑我呢!

4. 老师不理我了

我的心"怦怦怦"跳得很厉害,眼泪马上就要掉下来了。我使劲忍着,心里说:你不理我,我一定要改,让你理我!

5. 赶白鹅

1. 突然一只大白鹅转过身来,伸长了脖子叫着向我冲过来,像是要和我决斗。

2. 我有点害怕了,傻傻地站在那儿,不知道该怎么办。

6. 敲 门

妈妈一把拉住我,把食指竖在嘴唇前面,神秘兮兮地小声说:"嘘——,你过来看看就知道了。"

7. 借 花

我灵机一动,笑嘻嘻地对汪书亦说:"能不能借我一朵花,明天就还给你。"

8. 改 名

我不相信,凑过去一看,果真是只写了两个字。怎么会这样呢?我有点难过。

9. 给冬瓜题字

1. 它粗粗的腰,长长的身体,穿着墨绿色的衣裳,真可爱。

2. 我灵机一动,拿起笔,在上面题了四个大字——冬瓜太郎,得意地签上自己的大名。

10. 踢"球"

费文达向前跑了两步,使足了全身的力气,对准球猛地一踢。

11. 洗 澡

我蹲下身子,两手捧起沫沫,放在肚皮上,双手不停地挤压,肚皮上发出了"哼哼"的声音,真像小猪在吃猪食,多有意思啊!

12. 礼 物

俞老师看见了我,走到我身边,一脸灿烂,对着我轻轻地说了一句:"这才是最好的礼物!"接着,我的小屁屁上挨了老师的一巴掌。

13. 妈妈带回的礼物

1. 我伸手就去拿。"哎哟——"我的手好像被螺咬了一口,疼得大叫起来,马上就把手缩了回来。

2. "哎哟——"—"我"叫的声音 "好像被螺咬了一口"—"我"的感觉 "马上就把手缩了回来"—"我"的动作

14. 抢 糖

1. 同学们立刻向糖飞的方向跑去,有的跳得老高抢落下来的糖果;有的举着双手叫着;有的忙着弯下腰捡糖果……

2. 我的!我的!(接住啦!接住啦!)(只要合理即可)

15. 捉尾巴

1. 我悄悄地跑到杨婵身后,趁她不注意,手一伸,哈哈,捉到一条小尾巴啦!我飞快地冲到孙田后面,猛地一拽,又是一条!

2. 我正在得意,突然觉得裤腰被人拉了一下,回头一看:惨了,自己的尾巴没保护好,被人取走了。

16. 吃口香糖

1. 俞老师神秘地把口香糖塞进我的上衣口袋里,低声说:"放好,别让人发现,回家再吃。"

2. 甜甜的、酸酸的,一咬就断了,一点咬劲都没有。

17. 火龙果

1. 爸爸把火龙果的肚皮扒开,露出了圆圆的果实,红艳艳的,像一朵盛开的红玫瑰。

2. 我走到镜子面前一看,呀,我的牙齿、舌头和嘴唇都红了。如果妈妈吃了,不是可以不用口红了吗?

18. 偷吃鸡

我的口水一下子多了,赶忙往下咽。我拿起勺子,在里面翻来翻去,想找内脏吃,可就是找不到。

19. 逛超市

一位阿姨走到我身边,她手上拿着智力拼图和一袋食品,满脸笑容地对我说:"小朋友,买满 12 元'乖乖'食品,可以赠一个智力拼图。" 这时,阿姨像变魔术似的从拼图下面拿出了垫字板盯着我说:"还送一块垫字板。"

20. 种大蒜头

我一拍脑门,到楼下弄来了木屑,放在盒子里,把大蒜头插入木屑,再浇点水。果然,大蒜头个个挺直了腰板,不"睡觉"了。

21. 给蒜宝宝喝水

1. 天气这么冷,蒜宝宝喝冷水行吗? 一定会不舒服的。

2. 我赶紧到班上拿来水壶,自己先尝了一小口,水温温的,喝了真舒服。我蹲下来慢慢地把水倒给蒜宝宝喝。

22. 鱼汤更鲜美了

我迫不及待地舀了一口喝,呵,真是鲜美可口! 我大口大口地喝着鱼汤,爸爸妈妈也跟我抢着喝,我们一家人吃得津津有味。

23. 冰跳舞啦

我敲起了一块冰向冰面上扔去,它滑呀滑呀,好像一个人在冰面上跳舞,猛地它又撞到了另一块冰,那块冰也跟着跳起了舞,它们好像在表演冰上芭蕾。

24. 传 球

1. 我早早地伸长了手臂,随时准备接球。球一到我手里,我抱住球,飞快地转过身送到了周小飞的手里,这才松了一口气。

2. "哎哟——"他大叫着,一手捂着鼻子,一手挡球。

25. 水下乐园

1. 蒋阿姨可真厉害,拖着长长的、粗粗的皮管,不但给近处的花儿浇了水,就连远处的花草都帮它们洗了个痛快!

2. 一些男同学真调皮,他们把喷出来的水当成水桥,从桥下钻过来钻过去,笑着叫着,玩得好开心啊!

26. 找动物

我用脚踢着枯叶、小草,可什么也没发现。   听到小朋友的叫声,我心里可急了,连忙弯下腰,用手扒草丛。

27. 负重接力

1. 我紧紧地搂住妈妈的脖子,生怕掉下来。

2. 爸爸一把抱住我,飞快地向前冲。爸爸跑得可快啦,一下就超过了所有的爸爸,冲在了最前面。

28. 一块饼干

1. 妈妈送给我一块玩具饼干,黄黄的饼干上整齐地排列着几个小孔,中间夹着巧克力馅,表面还沾了点"饼干屑",看上去油润润的,和真的一样。

2. 俞老师飞快地冲到床边,弯下腰,张着大嘴巴,伸长了脖子,紧紧咬住了"饼干"。

29. 称"小猪"

婆婆一手拎着秤钮,一手挪着秤砣,大笑着,好像在说:"小猪崽又长胖啦!"

30. 逮蝴蝶

1. 我连忙用左手捂住小屁屁,抬起右手,慢慢地蹲下,对准蝴蝶猛地一拍。

2. "哈哈哈哈——"爸爸那边,大人们笑得直不起腰,妈妈笑得喘不过气来,连眼泪都笑出来了,奶奶笑得站不起来了。